2014 年贵州省本科教学质量工程“卓越教师教育培养计划（数学）”

2015 年贵州省本科教学质量工程“《数学类专业本科教学质量国家标准》下的‘数学与应用数学专业’课程体系构建”

2017 年凯里学院创新创业教育课程建设“数学教师资格证考前辅导系列课程”

中学数学教师资格证考前训练之

大学数学学科知识选讲

黄晚桃　杨孝斌　李俊鹏　编

西南交通大学出版社

·成　都·

图书在版编目（CIP）数据

中学数学教师资格证考前训练之大学数学学科知识选讲 / 黄晚桃，杨孝斌，李俊鹏编. —成都：西南交通大学出版社，2020.2

ISBN 978-7-5643-7378-8

Ⅰ. ①中… Ⅱ. ①黄… ②杨… ③李… Ⅲ. ①中学数学课－教学法－中学教师－资格考试－自学参考资料 Ⅳ. ①G633.602

中国版本图书馆 CIP 数据核字（2020）第 031611 号

Zhongxue Shuxue Jiaoshi Zigezheng Kaoqianxunlian zhi Daxue Shuxue Xueke Zhishi Xuanjian

中学数学教师资格证考前训练之大学数学学科知识选讲

黄晓桃　杨孝斌　李俊鹏　编

责任编辑	孟秀芝
封面设计	原谋书装
出版发行	西南交通大学出版社 （四川省成都市金牛区二环路北一段 111 号 西南交通大学创新大厦 21 楼）
发行部电话	028-87600564　028-87600533
邮政编码	610031
网址	http://www.xnjdcbs.com
印刷	四川煤田地质制图印刷厂
成品尺寸	170 mm × 230 mm
印张	11
字数	170 千
版次	2020 年 2 月第 1 版
印次	2020 年 2 月第 1 次
书号	ISBN 978-7-5643-7378-8
定价	32.00 元

课件咨询电话：028-81435775

序

据教育部的最新消息，2019 年下半年中小学教师资格证考试考生人数达 590 万人，比上半年考生人数 290 万人增加一倍多，全年考生人数近 900 万人. 其中师范专业考生人数占 24%，非师范专业考生人数占 76%.

在中学数学教师资格证考试（分初级中学、高级中学）过程中，考生普遍反映“数学学科知识与教育教学能力”这一科目难度较大、通过率不高. 这门考试科目包含四方面的内容：一是学科知识，主要考查考生的大学数学专业基础知识；二是数学课程知识，主要考查考生是否熟悉初中数学、高中数学教材中的有关内容，以及相应学段的数学课程标准中的部分知识；三是数学教学知识，主要考查考生所掌握的数学教育教学理论知识；四是数学教学技能，主要考查考生的数学教学设计能力和教学实践经验.

本书的作者之一，凯里学院的杨孝斌教授，是我早年的硕士生，他承担了贵州省卓越教师教育培养计划（数学）等本科教学质量工程项目，并通过调整人才培养方案，为数学与应用数学专业师范生设置了“综合素质与教育学心理学知识选讲”“数学学科知识选讲”“数学教师职业技能训练”等教师资格证备考课程. 本书的第一作者黄晚桃长期承担“综合素质与教育学心理学知识选讲”“数学学科知识选讲”课程的教学工作；杨孝斌长期承担“数学教师职业技能训练”“数学教学论”“数学史”等课程的教学工作.

根据教学改革与课程建设的需要，杨孝斌教授组织编写了《大学数学学科知识选讲》《数学教育知识选讲》两本书. 这两本书既可作为“数学学科知识选讲”这门课程的教学用书，也可作为考生备考的复习用书. 这两本书具有较好的教学实践基础，对相关课程的教学和考生的备考具有一定的参考价值.

贵州师范大学原副校长 吕传汉

2019 年 11 月 6 日

前　言

自教育部 2011 年在浙江省、湖北省开展教师资格证“国考”试点工作以来，全国各个省市都陆续开展了教师资格证全国统考工作. 在中学数学教师资格证考试过程中，考生普遍反映“数学学科知识与教育教学能力”这一科难度较大、通过率不高，于是越来越多的师范院校开始开设“数学学科知识与教育教学能力”这门课程. 但目前可供教师和学生选择的教材十分有限. 本书的编写目的便是为这门课程提供一本参考教材.

作为针对一门考试的考前复习教材，本书力求在考生掌握必备的专业知识基础之上，帮助考生清晰把握考试大纲、考题类型和核心高频考点，并有针对性地进行巩固练习. 所以，全书对 2014—2019 年的《数学学科知识与教学能力》的真题进行统计分析，归纳出高频核心考点，针对每个核心考点，给出重要知识点以及对应的历年真题和常考点同步练习，每个例题均有详细的答案解析. 为方便读者检验自己的学习情况和学习效果，本书最后给出 10 套模拟训练，并配备详细的参考答案. 本书第 1~4 章为大学数学知识，包括数学分析、高等代数、空间解析几何、概率论与数理统计课程知识，第 5 章为配套的 10 套《数学学科知识》模拟训练.

考虑到读者对象来源的广泛性（既包括师范专业考生，也包括非师范专业考生，还包括非数学专业的跨专业考生），书中各知识点力求数学表达和符号等格式的统一，但由于数学知识的广泛性和深刻性，且作者的水平有限，故本书在细节上可能存在疏漏之处，欢迎广大读者批评指正. 本书的部分例题并非作者原创，在此给予原创作者致以崇高的敬意.

本书的第 1~3 章由黄晚桃编写，第 4 章由李俊鹏编写，第 5 章由杨孝斌、李俊鹏编写. 全书的校对工作由黄晚桃、李俊鹏完成，全书由杨孝斌、黄晚桃统稿.

我们要感谢罗永超教授，正是由于他重视教师资格证考试并同意开设“数学学科知识选讲”这门课程，本书才得以诞生；同时，我们要感谢杨孝斌教授,他的提议和统筹是本书出版的先决条件. 我们也要感谢凯里学院的领导和全体老师以及我们的学生李辉艳、罗裕巧、石庆升、吴金林等，正是有了他们的帮助、支持和理解，作者才能以充沛的精力完成此书.

编　者

2019 年 11 月

目　录

第 1 章　数学分析

教师资格证考试中,《数学学科知识与教学能力》中的数学分析这部分知识主要考查极限、函数连续性、导数与微分、级数以及积分这 5 个部分的内容. 由于数学分析考查内容多、考题形式灵活等,"数学学科知识与教学能力"这门课程成为获取数学教师资格证的一个难点,也正是这一难点把许多心怀教师梦的人拒之于教师行业之外. 本章归纳和整理《数学学科知识与教学能力》中数学分析部分的历年真题,结合考试大纲提炼出 5 个高频核心考点,并给出大量常考点和同步练习,为考生备考提供便利.

考点统计与分析

《数学学科知识与教学能力》2014—2019 年真题中数学分析部分的知识点的考查情况统计如表 1.1 所示.

表 1.1　2014—2019 年数学学科知识中"数学分析"考点

时间		题型	知识点	各题型题量	总题量	各题型分值	总分值
2014（初、高）	上半年	选择题	微分中值定理	2	6	30	30
			函数连续性	2			
			狄利克雷函数	2			
2014（初、高）	下半年	选择题	导数与函数零点	2	6	20	34
			一致收敛的充要条件	2			
		简答题	泰勒展开式的应用	2		14	
2015（初、高）	上半年	选择题	集合理论	2	8	40	40
			充要条件	2			
			函数连续性	2			
			导数与函数的单调性	2			

续表

时间		题型	知识点	各题型题量	总题量	各题型分值	总分值
2015（初、高）	下半年	选择题	极限	2	6	20	40
			级数收敛域	2			
		解答题	中值定理	2		20	
2016（初、高）	上半年	选择题	极限	2	8	30	44
			级数敛散性	2			
			黎曼积分	2			
		简答题	偏导数	2		14	
2016（初、高）	下半年	选择题	极限	2	6	20	40
			函数连续性	2			
		解答题	微分中值定理	2		20	
2017（初、高）	上半年	选择题	极限	2	6	20	40
			函数连续性	2			
		解答题	中值定理	2		20	
2017（初、高）	下半年	选择题	等价无穷小	2	6	20	34
			级数	2			
		简答题	积分	2		14	
2018（初、高）	上半年	选择题	导数与函数连续性	1	8	20	54
			函数连续性	1			
			实数集	2			
		简答题	函数与映射	2		14	
		解答题	导数	2		20	
2018（初、高）	下半年	选择题	极限	2	8	20	41
			积分	3			
		简答题	导数	3		21	
2019（初、高）	上半年	选择题	坐标变换	2	4	10	30
		解答题	极限与映射	2		20	

2014—2019 年真题中的“数学分析”常考点及其出现的频数和考查题型如表 1.2、图 1.1 所示.

表 1.2　2014—2019 年“数学分析”常考点及其出现的频数和考查题型

序号	知识点名称	出现的频数	考查题型
1	极限	6	选择题、解答题
2	积分	3	选择题、简答题

续表

序号	知识点名称	出现的频数	考查题型
3	导数	6	选择题、简答题
4	函数连续性	6	选择题、简答题
5	实数集	2	选择题
6	函数与映射	2	选择题、解答题
7	等价无穷小	1	选择题
8	级数	5	选择题
9	微分中值定理	5	选择题、简答题
10	偏导数	1	简答题
11	函数的单调性	1	简答题
12	狄利克雷函数	1	选择题

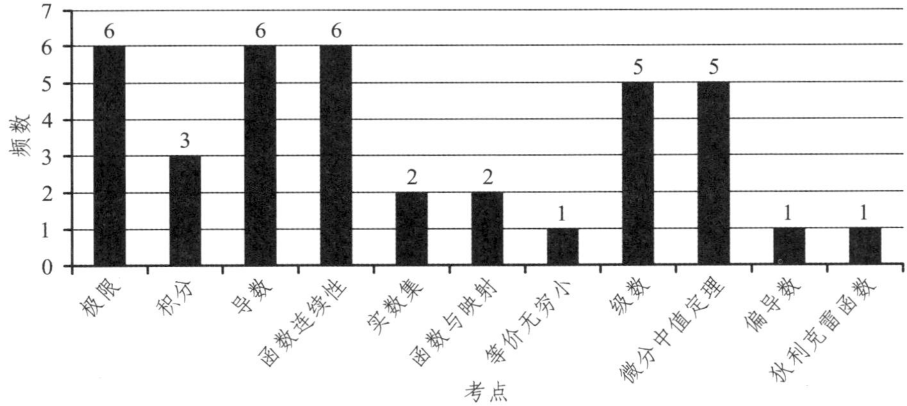

图 1.1　2014—2019 年考点及考点出现的频数统计

通过对近六年真题中数学分析部分的统计分析，可发现数学分析这部分知识的分值占大学本科数学基础专业知识分值的三分之一，本科阶段所学课程“数学分析”按知识内容，可分为极限、一元函数的连续性、一元函数的微分学、一元函数的积分学、级数、多元函数的微分学、多元函数的积分学和不等式这八大知识板块. 八大知识板块中的极限、一元函数的连续性、一元函数的积分学、一元函数的微分学以及级数这 5 个板块是教师资格证考试的常考内容. 其中极限、导数、函数连续性为高频核心考点，考查频数达到 6 次（这里的频数以每年 2 次考试中的次数计算，即同一时间考试，初级中学、高级中学均出现的知识点，记作出现 1 次，后续其他章节类似），级数和微分中值定理知识点出现的频率也不低，达到 5 次. 从考查形式上看，题目多以选择题和简答题的形式出现，且偏重于计算. 这些题目看似简单，如果没有深刻理解概念，却最容易出错. 这就要求考生在复习的过程中应全面复习，并加强高频核心考点这几个部分的练习，深刻理解并掌握其基本概念，学会运用概念和定义解题.

核心考点一　极限

一、重要知识点

“极限”这一常考点的考查方式有两种：一是利用两个重要极限和洛必达法则来求极限并根据极限的定义来进行验证；二是根据迫敛性等函数极限的性质来求解或证明极限.

1. 极限的定义

定义 1　设 $\{a_n\}$ 为一个数列，若 $\lim\limits_{n\to\infty}a_n=a$，$a$ 为有限常数，则称数列 $\{a_n\}$ 收敛，反之，称数列 $\{a_n\}$ 为发散的.

极限的定义（ $\varepsilon-N$ 语言）：$\lim\limits_{n\to\infty}a_n=a\Leftrightarrow\forall\varepsilon>0$，存在 $N\in\mathbf{N}^+$，对于 $\forall n>N$ 都有 $|a_n-a|<\varepsilon$ 成立，则称 $a_n\to a$.

注：数列极限存在与数列收敛等价.

定义 2　设 $f(x)$ 为定义在实数域上的函数，A 为有限常数，若 $\forall\varepsilon>0$，存在 $N>0$，对于 $\forall x$，当 $|x|>N$ 时，有 $|f(x)-A|<\varepsilon$ 成立，则称 A 为函数 $f(x)$ 在 $x\to\infty$ 的极限，记作 $\lim\limits_{x\to\infty}f(x)=A$.

注：$\lim\limits_{x\to\infty}f(x)=A\Leftrightarrow\lim\limits_{x\to-\infty}f(x)=\lim\limits_{x\to+\infty}f(x)=A$.

定义 3　设 $f(x)$ 在 x_0 的某个去心邻域 $U^{\circ}(x_0,\delta')$ 内有定义，A 为有限常数，若 $\forall\varepsilon>0$，存在 $\delta>0(\delta<\delta')$，对于 $\forall x\in\{x:0<|x-x_0|<\delta\}$，有 $|f(x)-A|<\varepsilon$

成立，则称 A 为函数 $f(x)$ 在 $x\to x_0$ 时的极限，记作 $\lim\limits_{x\to x_0} f(x)=A$．

注：$\lim\limits_{x\to x_0} f(x)=A \Leftrightarrow \lim\limits_{x\to x_0^+} f(x)=\lim\limits_{x\to x_0^-} f(x)=A$．

2．两个重要极限

第一个重要极限 $\lim\limits_{x\to 0}\dfrac{\sin x}{x}=1$；第二个重要极限 $\lim\limits_{x\to\infty}\left(1+\dfrac{1}{x}\right)^x=\mathrm{e}$ 或者 $\lim\limits_{x\to 0}(1+x)^{\frac{1}{x}}=\mathrm{e}$．

3．洛必达法则

洛必达法则是指利用导数来研究未定式极限的一种方法，它是处理未定式极限非常有效的手段．但它只能直接用于 $\dfrac{0}{0}$ 型或 $\dfrac{\infty}{\infty}$ 型的不定式，而对于 $0\cdot\infty$，∞^0，0^0，1^∞ 及 $\infty-\infty$ 型的未定式必须通过变形化成 $\dfrac{0}{0}$ 型或 $\dfrac{\infty}{\infty}$ 型的未定式后才可以利用洛必达法则．

洛必达法则 I（$\dfrac{0}{0}$ 型）

设函数 $f(x)$ 和 $g(x)$ 满足 $\lim\limits_{x\to a} f(x)=0$，$\lim\limits_{x\to a} g(x)=0$，在点 a 的某个去心邻域内 $f'(x)$ 和 $g'(x)$ 均存在（$g'(x)\neq 0$），且 $\lim\limits_{x\to a}\dfrac{f'(x)}{g'(x)}=A(A\in\mathbf{R})$，则有

$$\lim_{x\to a}\frac{f(x)}{g(x)}=\lim_{x\to a}\frac{f'(x)}{g'(x)}=A.$$

洛必达法则 II（$\dfrac{\infty}{\infty}$ 型）

设函数 $f(x)$ 和 $g(x)$ 满足 $\lim\limits_{x\to a} f(x)=\lim\limits_{x\to a} g(x)=\infty$，在点 a 的某个去心邻域内 $f'(x)$ 和 $g'(x)$ 均存在（$g'(x)\neq 0$），且 $\lim\limits_{x\to a}\dfrac{f'(x)}{g'(x)}=A(A\in\mathbf{R})$，则有

$$\lim_{x\to a}\frac{f(x)}{g(x)}=\lim_{x\to a}\frac{f'(x)}{g'(x)}=A.$$

4. 等价无穷小

无穷小量是以 0 为极限的函数,不同的无穷小量收敛于 0 的速度有快有慢，若 $x\to x_0$ 时，$f(x)$ 和 $g(x)$ 均为无穷小量，且 $\lim\limits_{x\to x_0}\dfrac{f(x)}{g(x)}=1$，则称 $f(x)$ 与 $g(x)$ 是 $x\to x_0$ 时的等价无穷小，记作 $f(x)\sim g(x)$.

设函数 $f(x)$，$g(x)$，$h(x)$ 在 $\mathring{U}(x_0)$ 内有定义，且 $f(x)\sim g(x)(x\to x_0)$，则以下结论成立：

（1）若 $\lim\limits_{x\to x_0}f(x)h(x)=A$，则 $\lim\limits_{x\to x_0}g(x)h(x)=A$.

（2）若 $\lim\limits_{x\to x_0}\dfrac{h(x)}{f(x)}=B$，则 $\lim\limits_{x\to x_0}\dfrac{h(x)}{g(x)}=B$.

二、真题解析

例 1　（2017 年下初级中学）当 $x\to x_0$ 时，与 $x-x_0$ 是等价无穷小的为（　）.

A. $\sin(x-x_0)$　　B. e^{x-x_0}　　C. $(x-x_0)^2$　　D. $\ln|x-x_0|$

答案为 A.

解析　该题考查无穷小量知识点.

可以利用无穷小量比值的极限值来判断两个无穷小量函数阶的关系.若 $y\to y_0$ 时,有 $A(y)\to 0$，$B(y)\to 0$，且 $\lim\limits_{y\to y_0}\dfrac{A(y)}{B(y)}=1$，则称函数 $A(y)$ 和 $B(y)$ 为当 $y\to y_0$ 时的等价无穷小量. 又 $\lim\limits_{y\to y_0}\dfrac{\sin(y-y_0)}{y-y_0}=\lim\limits_{k\to 0}\dfrac{\sin k}{k}=1$，所以当 $x\to x_0\Rightarrow x-x_0\to 0$，即 $x-x_0$ 的等价无穷小量为 $\sin(x-x_0)$.

例 2　（2018 年下高级中学）极限 $\lim\limits_{x\to 0}\dfrac{1-\cos x}{x^2}$ 的值是（　）.

A. 0　　B. $\dfrac{1}{2}$　　C. 1　　D. ∞

答案为 B.

解析　本题考查洛必达法则求极限知识点. 当 $x\to 0$ 时，$\lim\limits_{x\to 0}(1-\cos x)=\lim\limits_{x\to 0}x^2=0$，故该极限为 $\dfrac{0}{0}$ 型的未定式，从而考虑使用洛必达法则来求该极限.

先对该极限中 $f(x)$ 的分子分母分别求导然后再求出极限.

$$\lim_{x\to 0}\frac{1-\cos x}{x^2}=\lim_{x\to 0}\frac{(1-\cos x)'}{(x^2)'}=\lim_{x\to 0}\frac{\sin x}{2x}=\lim_{x\to 0}\frac{\cos x}{2}=\frac{1}{2}.$$

例 3 （2016 年下高级中学）极限 $\lim\limits_{x\to\infty}\left(\frac{2+x}{1+x}\right)^{1+2x}$ 的值是（　）.

A. 0　　B. 1　　C. e　　D. e^2

答案为 D.

解析　本题考查两个重要极限知识点.

此极限的类型类似于两个重要极限中的 $\lim\limits_{x\to\infty}\left(1+\frac{1}{x}\right)^x=e$，故解题思路是通过变形，将原式配成 $\lim\limits_{x\to\infty}\left(1+\frac{1}{x}\right)^x$ 的形式进行求解.

因为

$$\left(\frac{2+x}{1+x}\right)^{1+2x}=\left(\frac{1+x}{1+x}+\frac{1}{1+x}\right)^{2+2x-1}=\frac{\left[\left(1+\frac{1}{1+x}\right)^{1+x}\right]^2}{1+\frac{1}{1+x}},$$

所以

$$\lim_{x\to\infty}\left(\frac{2+x}{1+x}\right)^{1+2x}=\lim_{x\to\infty}\frac{\left[\left(1+\frac{1}{1+x}\right)^{1+x}\right]^2}{1+\frac{1}{1+x}}=\frac{e^2}{1}=e^2.$$

例 4 （2017 上高级中学）若 $\lim\limits_{x\to a}f(x)=k>0$，则下列表述正确的是(　).

A. $\forall r\in(0,k)$，$\exists\delta>0$，$\forall x\in(a-\delta,a+\delta)$，且 $x\neq a$，有 $f(x)>r$

B. $\forall r\in(0,k)$，$\forall\delta>0$，$\forall x\in(a-\delta,a+\delta)$，且 $x\neq a$，有 $f(x)>r$

C. $\forall r\in(0,k)$，$\exists\delta>0$，$\forall x\in(a-\delta,a+\delta)$，有 $f(x)>r$

D. $\exists r\in(0,k)$，$\forall\delta>0$，$\forall x\in(a-\delta,a+\delta)$，有 $f(x)>r$

答案为 A.

解析　该题考查函数极限的定义.

若 $\lim\limits_{x\to a}f(x)=k>0$，则对 $\forall\varepsilon>0$，$\exists\delta>0$，当 $0<|x-a|<\delta$ 时，有 $|f(x)-k|<\varepsilon$ 成立. 不妨令 $\varepsilon=k-r$，则有 $-(k-r)<f(x)-k<k-r$. 从而有对

$\forall r\in(0,k)$，$\exists\delta>0$，$\forall x\in(a-\delta,a+\delta)$，且有 $f(x)>r$（ $x\neq a$ ），故选 A.

例 5　（2014 年上高级中学）证明 $\lim\limits_{n\to\infty}\sqrt[n]{a}=1(a>0,a\neq1)$.

解析　本题考查极限的性质.

由题可知，需要对 a 的取值进行分类讨论：

当 $a=1$ 时，显然有 $\lim\limits_{n\to\infty}\sqrt[n]{a}=1$；

当 $a>1$ 时，记 $\sqrt[n]{a}=1+h_n(h_n>0)$，$a=(1+h_n)^n=1+nh_n+C_n^2h_n^2+\cdots+h_n^n\geqslant nh_n$，可推出 $0<h_n\leqslant\dfrac{a}{n}$，由极限的迫敛性得 $\lim\limits_{n\to\infty}h_n=0$，即 $\lim\limits_{n\to\infty}\sqrt[n]{a}=\lim\limits_{n\to\infty}(1+h_n)=1$；

当 $0<a<1$ 时，记 $b=\dfrac{1}{a}>1$，从而有 $\lim\limits_{n\to\infty}\sqrt[n]{b}=1$，即 $\lim\limits_{n\to\infty}\sqrt[n]{a}=\lim\limits_{n\to\infty}\dfrac{1}{\sqrt[n]{b}}=1$，故 $\lim\limits_{n\to\infty}\sqrt[n]{a}=1$.

综上，$\lim\limits_{n\to\infty}\sqrt[n]{a}=1(a>0,a\neq1)$ 恒成立，得证.

例 6　（2016 年上高级中学）极限 $\lim\limits_{n\to\infty}\left(1+\dfrac{1}{1+n^2}\right)^{n^2}$ 的值是（　　）.

A. e　　　B. 1　　　C. $\dfrac{1}{\mathrm{e}}$　　　D. 0

答案为 A.

解析　本题考查两个重要极限知识点.

解法一：可以将原式配成形如 $\lim\limits_{x\to\infty}\left(1+\dfrac{1}{x}\right)^x$ 来求解.

$$\lim_{n\to\infty}\left(1+\frac{1}{1+n^2}\right)^{n^2}=\lim_{n\to\infty}\left(1+\frac{1}{1+n^2}\right)^{(n^2+1)\cdot\frac{n^2}{n^2+1}}=\mathrm{e}^{\lim\limits_{n\to\infty}\frac{n^2}{n^2+1}}=\mathrm{e}.$$

解法二：

$$\lim_{n\to\infty}\left(1+\frac{1}{1+n^2}\right)^{n^2}=\lim_{n\to\infty}\left(1+\frac{1}{1+n^2}\right)^{n^2+1-1}=\lim_{n\to\infty}\frac{\left(1+\frac{1}{1+n^2}\right)^{n^2+1}}{1+\frac{1}{1+n^2}}=\frac{\mathrm{e}}{1}=\mathrm{e}.$$

解法三：

$$\lim_{n\to\infty}\left(1+\frac{1}{1+n^2}\right)^{n^2}=\lim_{n\to\infty}\mathrm{e}^{\ln\left(1+\frac{1}{1+n^2}\right)^{n^2}}=\mathrm{e}^{\lim\limits_{n\to\infty}n^2\ln\left(1+\frac{1}{n^2+1}\right)}=\mathrm{e}^{\lim\limits_{n\to\infty}\frac{\ln\left(1+\frac{1}{n^2+1}\right)}{\frac{1}{n^2}}}=\mathrm{e}^{\lim\limits_{n\to\infty}\frac{n^2}{n^2+1}}=\mathrm{e}.$$

例 7 （2019 年上初、高级中学）设 $\mathbf{R}^2$ 为二维欧氏平面，F 是 $\mathbf{R}^2$ 到 $\mathbf{R}^2$ 的映射，如果存在一个实数 ρ, $0<\rho<1$，使得对于任意的 P, $Q\in\mathbf{R}^2$，有 $d(F(P),\ F(Q))\leqslant\rho d(P,\ Q)$（其中 $d(P,\ Q)$ 表示 P, Q 两点间的距离），则称 F 是压缩映射.

设映射 $T:\mathbf{R}^2\to\mathbf{R}^2$，$T((x,y))=\left(\dfrac{1}{2}x,\dfrac{1}{3}y\right),\forall(x,y)\in\mathbf{R}^2$.

（1）证明映射 T 是压缩映射.

（2）设 $P_0=P_0(x_0,y_0)$ 为 $\mathbf{R}^2$ 中任意一点，令 $P_n=T(P_{n-1})$, $n=1,2,3,\cdots$, 求 $\lim\limits_{n\to\infty}P_n$.

解析 本题考查平面到平面的映射及点列的极限问题.

（1）在 $\mathbf{R}^2$ 中任意取两点 $P(x_1,y_1),Q(x_2,y_2)$，有

$$T(P)=T((x_1,y_1))=\left(\frac{1}{2}x_1,\frac{1}{3}y_1\right),\quad T(Q)=T((x_2,y_2))=\left(\frac{1}{2}x_2,\frac{1}{3}y_2\right),$$

则

$$\begin{aligned}d(T(P),T(Q))&=\sqrt{\left(\frac{1}{2}x_2-\frac{1}{2}x_1\right)^2+\left(\frac{1}{3}y_2-\frac{1}{3}y_1\right)^2}=\sqrt{\frac{1}{4}(x_2-x_1)^2+\frac{1}{9}(y_2-y_1)^2}\\&\leqslant\sqrt{\frac{1}{4}(x_2-x_1)^2+\frac{1}{4}(y_2-y_1)^2}=\frac{1}{2}\sqrt{(x_2-x_1)^2+(y_2-y_1)^2}\\&=\frac{1}{2}d(P,Q).\end{aligned}$$

取 $\rho=\dfrac{1}{2}$，则有 $0<\rho<1$，满足 $d(T(P),T(Q))\leqslant\rho d(P,Q)$. 所以映射 T 是压缩映射，得证.

（2）由已知条件知

$$P_n=T(P_{n-1})=T^2(P_{n-2})=T^3(P_{n-3})=\cdots=T^n(P_{n-n})=T^n(P_0),$$

由问题（1）知

$$T((x_0,y_0))=\left(\frac{1}{2}x_0,\frac{1}{3}y_0\right),$$

则有

$$\lim_{n\to\infty}P_n=\lim_{n\to\infty}(T^n(P_0))=\lim_{n\to\infty}(T^n(x_0,y_0))=\lim_{n\to\infty}\left(\frac{1}{2^n}x_0,\frac{1}{3^n}y_0\right)=(0,0).$$

三、常考点同步练习

例 8 计算极限 $\lim\limits_{x\to 0}(1+2019x)^{\frac{1}{x}}=$（ ）.

A. e　　　B. 1　　　C. e^{2018}　　　D. e^{2019}

答案为 D.

解析 本题考查两个重要极限知识点.

可将原式配成形如 $\lim\limits_{x\to 0}(1+x)^{\frac{1}{x}}=e$ 的形式来求解.

$\lim\limits_{x\to 0}(1+2019x)^{\frac{1}{x}}=\lim\limits_{x\to 0}[(1+2019x)^{\frac{1}{2019x}}]^{2019}$，所以 $\lim\limits_{x\to 0}(1+2019x)^{\frac{1}{x}}=e^{2019}$.

例 9 设曲线 $y=f(x)=x^n$ 在点 $(1,1)$ 处的切线交 x 轴于 $(x_n,0)$，求 $\lim\limits_{n\to\infty}f(x_n)$.

解析 本题考查曲线在某点处切线及切线斜率与导函数的关系. 设曲线 $y=f(x)=x^n$ 在点 $(1,1)$ 处的切线斜率为 k，由 $f'(x)=nx^{n-1}$ 得到 $k=n$，从而在切线方程 $y-1=n(x-1)$ 中令 $y=0$，得到 $x_n=\dfrac{n-1}{n}$. 所以有

$$\lim_{n\to\infty}f(x_n)=\lim_{n\to\infty}\left(\frac{n-1}{n}\right)^n=\lim_{n\to\infty}\left(1-\frac{1}{n}\right)^n=\lim_{n\to\infty}\left\{\left[1+\left(\frac{1}{-n}\right)\right]^{-n}\right\}^{-1}=\frac{1}{e}.$$

例 10 求极限 $\lim\limits_{y\to\infty}\left(\dfrac{y^2+1}{y^2-1}\right)^{y^2}$.

解析 可以考虑两个重要极限公式 $\lim\limits_{x\to\infty}\left(1+\dfrac{1}{x}\right)^x=e$，对 $\left(\dfrac{y^2+1}{y^2-1}\right)^{y^2}$ 进行变形. 因为

$$\left(\frac{y^2+1}{y^2-1}\right)^{y^2}=\left(\frac{y^2-1+2}{y^2-1}\right)^{\frac{y^2-1}{2}\cdot\frac{2y^2}{y^2-1}}=\left[\left(1+\frac{1}{\frac{y^2-1}{2}}\right)^{\frac{y^2-1}{2}}\right]^{\frac{2y^2}{y^2-1}},$$

而

$$\lim_{y\to\infty}\frac{2y^2}{y^2-1}=2,$$

所以

$$\lim_{y\to\infty}\left(\frac{y^2+1}{y^2-1}\right)^{y^2}=\lim_{y\to\infty}\left[\left(1+\frac{1}{\frac{y^2-1}{2}}\right)^{\frac{y^2-1}{2}}\right]^{\frac{2y^2}{y^2-1}}=\mathrm{e}^2 .$$

例 11 求极限 $\lim\limits_{x\to+\infty}x\sin\dfrac{1}{x}$.

解析 此题考查两个重要极限中的 $\lim\limits_{t\to0}\dfrac{\sin t}{t}=1$ 形式.

要想将极限中的 $x\sin\dfrac{1}{x}$ 转换为 $\dfrac{\sin t}{t}$ 的形式，需作变量替换 $t=\dfrac{1}{x}$，则有

$$\lim_{x\to+\infty}x\sin\frac{1}{x}=\lim_{t\to0^+}\frac{\sin t}{t}=1 .$$

核心考点二 函数的连续性

一、重要知识点

1. 函数连续性的定义

函数 $f(x)$ 在 x_0 点连续，即 $\lim\limits_{x\to x_0}f(x)=f(x_0)$.

函数 $f(x)$ 在 x_0 点连续的 $\varepsilon-\delta$ 语言：对 $\forall\varepsilon>0$ ，存在 $\delta>0$ ，使得当 $|x-x_0|<\delta$ 时，有 $|f(x)-f(x_0)|<\varepsilon$ ，则称函数 $f(x)$ 在 x_0 点连续.

注：若函数 $f(x)$ 在区间 I 内的任意一点都连续，则函数在整个区间 I 上都连续. 闭区间上的连续函数一定是有界的，且存在最大最小值.

2. 函数的间断点

1）间断点的定义

设函数 $f(x)$ 为区间 I 内的函数，若 $f(x)$ 在 x_0 的某个空心邻域 $U^{\circ}(x_0)$ 内有定义，但在 x_0 处没有定义，或者 $f(x)$ 在 x_0 处是不连续的，则 x_0 为 $f(x)$ 的间断点.

2）间断点的类型

（1）第一类间断点.

① 可去间断点：若 $\lim\limits_{x\to x_0^+} f(x)=\lim\limits_{x\to x_0^-} f(x)=A$，而 $f(x)$ 在 x_0 处没有定义，或者 $f(x)$ 在 x_0 处有定义但 $f(x_0)\neq A$，则称 x_0 为 $f(x)$ 的可去间断点.

② 跳跃间断点：若 $f(x)$ 在 x_0 处的左右极限都存在，但 $\lim\limits_{x\to x_0^+} f(x)\neq \lim\limits_{x\to x_0^-} f(x)$，则称 x_0 为 $f(x)$ 的跳跃间断点.

（2）第二类间断点.

设 $f(x)$ 在 x_0 的某个空心邻域 $U^{\circ}(x_0)$ 内有定义，若函数 $f(x)$ 在 x_0 处的左右极限至少有一个不存在，则称 x_0 为 $f(x)$ 的第二类间断点.

二、真题解析

例 1 （2015 年上高级中学）与命题“$y=f(x)$ 在 x_0 点连续”不等价的命题是（　　）.

A. 对任意数列 $\{x_n\}$，$x_n\to x_0$，有 $\lim\limits_{n\to\infty} f(x_n)=f(x_0)$

B. $\forall\varepsilon>0, \exists\delta>0$，使得 $\forall|x-x_0|<\delta$，有 $|f(x)-f(x_0)|<\varepsilon$

C. 存在数列 $\{x_n\}$，$x_n\to x_0$，有 $\lim\limits_{n\to\infty} f(x_n)=f(x_0)$

D. 对任意数列 $\{x_n\}$，$x_n\to x_0$，$\forall\varepsilon>0$，$\exists N>0$，$\forall n>N$，有 $|f(x_n)-f(x_0)|<\varepsilon$

答案为 C.

解析 本题考查连续函数的定义.

不妨设函数 $f(x)=\begin{cases}1, & x\text{为有理数}\\ 0, & \text{其他}\end{cases}$，$x_n=\dfrac{n}{2n+1}$，则当 $x_n\to\dfrac{1}{2}$ 时，有 $\lim\limits_{n\to\infty} f(x_n)=f\left(\dfrac{1}{2}\right)=1$，但是 $f(x)$ 处处不连续.

例 2 （2016 年下高级中学）已知函数 $f(x)$ 在点 x_0 连续，则下列说法正确的是（　　）.

A. 对任给的 $\varepsilon>0$，存在 $\delta>0$，当 $|x-x_0|<\delta$ 时，有 $|f(x)-f(x_0)|<\varepsilon$

B. 存在 $\varepsilon>0$，对任意的 $\delta>0$，当 $|x-x_0|<\delta$ 时，有 $|f(x)-f(x_0)|<\varepsilon$

C. 存在 $\delta>0$，对任意的 $\varepsilon>0$，当 $|x-x_0|<\delta$ 时，有 $|f(x)-f(x_0)|<\varepsilon$

D. 存在 $A\neq f(x_0)$，对任给的 $\varepsilon>0$，存在 $\delta>0$，当 $|x-x_0|<\delta$ 时，有 $|f(x)-f(x_0)|<\varepsilon$

答案为 A.

解析　$f(x)$ 在某点连续的定义："设函数 $f(x)$ 在 x_0 的某个空心邻域 $U^{\circ}(x_0)$ 内有定义，若 $\lim\limits_{x\to x_0} f(x)=f(x_0)$，则称 f 在 x_0 点连续"，故其对应的 $\varepsilon-\delta$ 语言："$\forall\varepsilon>0$，存在 $\delta>0$，对 $\forall x\in\{x:|x-x_0|<\delta\}$，有 $|f(x)-f(x_0)|<\varepsilon$"，所以选 A.

三、常考点同步练习

例 3　设当 x 不为零时有 $f(x)\equiv g(x)$，而 $f(0)\neq g(0)$，证明：f 与 g 两者中至多有一个在 $x=0$ 处连续.

解析　要证明两者中至多有一个成立的证明题，可以采用反证法.

不妨设 $f(x)$ 与 $g(x)$ 均在 $x=0$ 处连续，则 $\lim\limits_{x\to 0} f(x)=f(0)$，$\lim\limits_{x\to 0} g(x)=g(0)$.

因为 $x\neq 0$ 时，$f(x)\equiv g(x)$，于是 $\lim\limits_{x\to 0} f(x)=\lim\limits_{x\to 0} g(x)$，从而 $f(0)=g(0)$，与题目已知条件 $f(0)\neq g(0)$ 矛盾，所以 f 与 g 两者中至多有一个在 $x=0$ 处连续，得证.

例 4　若 $f(y)=\begin{cases} e^y, & y\geqslant 0 \\ y^2+k, & y<0 \end{cases}$ 在 $y=0$ 处连续，则 $k=$（　）.

A. 2　　B. 1　　C. 0　　D. -1

答案为 B.

解析　$f(y)$ 在 $y=0$ 处连续与 $\lim\limits_{y\to y_0^+} f(y)=\lim\limits_{y\to y_0^-} f(y)=f(y_0)$ 互为充要条件，则有 $\lim\limits_{y\to 0^+} e^y=\lim\limits_{y\to 0^-}(y^2+k)=f(0)=1$，所以 $k=1$，故答案为 B.

核心考点三　导数与微分

一、重要知识点

1. 导数的定义

设函数 $y=f(x)$ 在点 x_0 的某邻域 $U(x_0)$ 内有定义，记 $\Delta y=f(x_0+\Delta x)-$

$f(x_0)$，$\Delta x = x - x_0$，若极限 $\lim\limits_{x\to x_0}\dfrac{f(x)-f(x_0)}{x-x_0}=\lim\limits_{\Delta x\to 0}\dfrac{\Delta y}{\Delta x}$ 存在，则称函数 $y=f(x)$ 在点 x_0 处可导，该极限为 $y=f(x)$ 在点 x_0 处的导数，记作 $f'(x_0)$，即

$$f'(x_0)=\lim_{x\to x_0}\frac{f(x)-f(x_0)}{x-x_0}.$$

2. 单侧导数

函数 $y=f(x)$ 在点 x_0 点处的左、右导数分别为

$$f_-'(x_0)=\lim_{x\to x_0^-}\frac{f(x)-f(x_0)}{x-x_0},$$

$$f_+'(x_0)=\lim_{x\to x_0^+}\frac{f(x)-f(x_0)}{x-x_0}.$$

3. 导数的几何意义

函数 $y=f(x)$ 在点 x_0 的导数 $f'(x_0)$ 是曲线 $y=f(x)$ 在点 (x_0,y_0) 处的切线斜率.

4. 微分的定义

设函数 $y=f(x)$ 在点 x_0 的某邻域 $U(x_0)$ 内有定义，x_0 和 $x_0+\Delta x$ 均在此邻域内，若函数 $y=f(x)$ 的增量 $\Delta y=f(x_0+\Delta x)-f(x_0)$ 可表示为

$$\Delta y = A\Delta x + o(\Delta x),$$

其中，常数 A 不依赖于 Δx，$o(\Delta x)$ 为 Δx 的高阶无穷小，则称 $y=f(x)$ 在点 x_0 处可微. 称上式中的 $A\Delta x$ 为 f 在点 x_0 的微分，记作 $\mathrm{d}y\big|_{x=x_0}=A\Delta x$ 或 $\mathrm{d}f(x)\big|_{x=x_0}=A\Delta x$.

5. 连续、可微和可导之间的关系

定理 函数 $y=f(x)$ 在点 x_0 可微与 $y=f(x)$ 在点 x_0 可导互为充要条件.

连续、可微、可导三者之间的关系可表述如下：

$y=f(x)$ 在点 x_0 可微 $\Leftrightarrow$ $y=f(x)$ 在点 x_0 可导 $\Rightarrow$ $y=f(x)$ 在点 x_0 连续.

可导、可微可以推出连续，反之不一定成立，如函数 $y=|x|$ 在 $x=0$ 处连续但不可导.

6. 微分中值定理及其应用

罗尔定理：若函数 $f(x)$ 在闭区间 $[a,b]$ 内连续，在开区间 (a,b) 内可导，且有 $f(a)=f(b)$，则在开区间 (a,b) 内至少存在一个点 x_0，使得 $f'(x_0)=0$.

拉格朗日中值定理：若函数 $f(x)$ 在闭区间 $[a,b]$ 内连续，在开区间 (a,b) 内可导，则在开区间 (a,b) 内至少存在一个点 x_0，使得 $f'(x_0)=\dfrac{f(b)-f(a)}{b-a}$.

柯西中值定理：若函数 $f(x)$ 和 $g(x)$ 在闭区间 $[a,b]$ 内连续，在开区间 (a,b) 内可导，且对于 $\forall x\in(a,b)$ 有 $g'(x)\neq 0$，$g(a)\neq g(b)$，则在开区间 (a,b) 内至少存在一个点 x_0，使得 $\dfrac{f'(x_0)}{g'(x_0)}=\dfrac{f(b)-f(a)}{g(b)-g(a)}$.

二、真题解析

例 1 （2014 年上高级中学）曲线 $y=x^3+2x-1$ 在点 $(1,2)$ 处的切线方程为（　　）.

A. $5x-y-3=0$　　B. $14x-y-12=0$

C. $5x+y-3=0$　　D. $14x+y-12=0$

答案为 A.

解析　本题考查切线斜率知识点.

因为 $y=x^3+2x-1$，所以 $y'=3x^2+2\Rightarrow y'(1,2)=5$，即 $y=x^3+2x-1$ 在点 $(1,2)$ 处的切线的斜率为 5，由直线方程的点斜式得 $y-2=5(x-1)\Rightarrow 5x-y-3=0$，故答案为 A.

例 2 （2018 年上高级中学）设 $f(x)$ 为开区间 (a,b) 上的可导函数，则下列命题正确的是（　　）.

A. $f(x)$ 在 (a,b) 上必有最大值　　B. $f(x)$ 在 (a,b) 上必一致连续

C. $f(x)$ 在 (a,b) 上必有界　　D. $f(x)$ 在 (a,b) 上必连续

答案为 D.

解析　本题考查可导函数的性质.

不妨设 $f(x)=\dfrac{1}{x}$，$x\in(0,1)$，显然函数 $f(x)$ 在 $(0,1)$ 上可导，但它在 $(0,1)$ 上既无最大值也无最小值，故无界，可排除 A 和 C. 若取序列 $x_n^{(1)}=\dfrac{1}{n}$ 和 $x_n^{(2)}=\dfrac{1}{n+1}$，显然 $\lim\limits_{n\to\infty}(x_n^{(1)}-x_n^{(2)})=0$，所以对 $\forall\delta>0$，$\exists N\in\mathbf{N}^+$，当 $n>N$ 时，有 $\left|x_n^{(1)}-x_n^{(2)}\right|<\delta$ 成立，取 $\varepsilon_0=\dfrac{1}{10}$，对 $\forall\delta>0$，当 $\left|x_n^{(1)}-x_n^{(2)}\right|<\delta$ 时，有 $\left|f(x_n^{(1)})-f(x_n^{(2)})\right|=\left|n-(n+1)\right|=1>\varepsilon_0$，故函数 $f(x)=\dfrac{1}{x}$ 在 $(0,1)$ 上不一致连续，可排除 B. 在同一区间内，可导的函数必连续，故答案为 D.

例 3 （2016 年上高级中学）设质点在平面上的运动轨迹为 $\begin{cases}x=t-\sin t\\ y=1-\cos t\end{cases}$，$t\geqslant 0$，求质点在时刻 $t=1$ 的速度大小.

解析 本题考查导数的应用.

由 $\begin{cases}x=t-\sin t\\ y=1-\cos t\end{cases}$，$t\geqslant 0$ 得

$$\begin{cases}\dfrac{\partial x}{\partial t}=1-\cos t\\ \dfrac{\partial y}{\partial t}=\sin t\end{cases},$$

所以

$$v=\sqrt{\left(\frac{\partial x}{\partial t}\right)^2+\left(\frac{\partial y}{\partial t}\right)^2}=\sqrt{(1-\cos t)^2+(\sin t)^2},$$

把 $t=1$ 代入上式，可得时刻 $t=1$ 的速度

$$v_{t=1}=\sqrt{(1-\cos 1)^2+(\sin 1)^2}=\sqrt{2-2\cos 1}.$$

例 4 （2018 年下高级中学）求函数 $f(x)=3\cos x+4\sin x$ 的一阶导数为 0 的点.

解析 本题考查导数和三角函数知识点.

由 $f(x)=3\cos x+4\sin x$ 知 $f'(x)=-3\sin x+4\cos x$.

令 $f'(x)=0$，则

$$-3\sin x+4\cos x=0\Rightarrow \tan x=\frac{4}{3},$$

所以 $x=\arctan\frac{4}{3}+k\pi\ (k\in\mathbf{Z})$ 即为函数 $f(x)$ 的一阶导数为 0 的点.

例 5　（2018 年下高级中学）设 $f(x)$ 是 $[0,1]$ 上的可导函数，且 $f'(x)$ 有界. 证明：存在 $M>0$，使得对于任意 $x_1,x_2\in[0,1]$，有 $|f(x_1)-f(x_2)|\leqslant M|x_1-x_2|$.

解析　本题考查闭区间上可导函数的性质.

（1）当 $x_1=x_2$ 时，结论显然成立.

（2）当 $x_1\neq x_2$ 时，不妨设 $x_1<x_2$，则 $f(x)$ 在闭区间 $[x_1,x_2]$ 内连续，在开区间 (x_1,x_2) 内可导，由拉格朗日中值定理知，存在一点 $\xi\in(x_1,x_2)$，使得 $|f(x_1)-f(x_2)|=|f'(\xi)||x_1-x_2|$. 又 $f'(x)$ 有界，则在闭区间 $[x_1,x_2]$ 内，$\exists M>0$，有 $|f'(x)|\leqslant M$，即 $|f'(\xi)|\leqslant M$，由 x_1,x_2 的任意性知，$|f(x_1)-f(x_2)|\leqslant M|x_1-x_2|$ 在 $[0,1]$ 的整个区间都成立，得证.

例 6　（2016 年下高级中学）设函数 $f(x)$ 在 $\mathbf{R}$ 上连续且可导.

（1）当 $f(x)=x^2$，且 $g(x)=\mathrm{e}^x f(x)$ 时，求证 $f(x)$ 与 $g(x)$ 有共同驻点.

（2）当 $f(a)=f(b)=0(a<b)$ 时，求证方程 $f'(x)+f(x)=0$ 在 (a,b) 内至少有一个实根.

解析　本题考查导数的相关性质和计算.

（1）由 $f(x)=x^2\Rightarrow f'(x)=2x$，令 $f'(x)=2x=0\Rightarrow x=0$，所以 $f(x)$ 的驻点为 $(0,0)$.

由 $g(x)=\mathrm{e}^x f(x)\Rightarrow g'(x)=\mathrm{e}^x f(x)+\mathrm{e}^x f'(x)=\mathrm{e}^x(x^2+2x)$，令 $g'(x)=\mathrm{e}^x(x^2+2x)=0$ 或者 $x=-2$，所以 $g(x)$ 的驻点为 $(0,0)$ 和 $(-2,4\mathrm{e}^{-2})$.

综上知，$f(x)$ 与 $g(x)$ 有共同的驻点 $(0,0)$.

（2）要证方程 $f'(x)+f(x)=0$ 在 (a,b) 内至少有一个实根，即证至少存在一点 $\xi\in(a,b)$，使得 $f'(\xi)+f(\xi)=0$.

设 $G(x)=\mathrm{e}^x f(x)$，又 $f(a)=f(b)=0$，则 $G(a)=\mathrm{e}^a f(a)=0=\mathrm{e}^b f(b)=G(b)$.

因为 $f(x)$ 在 $\mathbf{R}$ 上连续且可导，所以 $G(x)=\mathrm{e}^x f(x)$ 在闭区间 $[a,b]$ 内连续，在开区间 (a,b) 内可导. 由罗尔中值定理知，至少存在一点 $\xi\in(a,b)$，使得

$G'(\xi)=0$. 因为 $(\mathrm{e}^{\xi} f(\xi))' = \mathrm{e}^{\xi} f(\xi) + \mathrm{e}^{\xi} f'(\xi)$，所以 $G'(x)=\mathrm{e}^{\xi}(f(\xi)+f'(\xi))=0$，而指数函数 e^{ξ} 的值不为 0，所以 $f'(\xi)+f(\xi)=0$，原题得证.

例 7 （2017 年下高级中学）在平面有界区域内，由连续曲线 C 围成一个封闭图形. 证明：存在实数 ζ，使直线 $y=x+\zeta$ 平分该图形的面积.

解析 本题考查定积分的应用.

记图形的面积为 S，相交直线 $y=x+\xi$ 把图形的面积分为 S_1 和 S_2 两部分，而 S_2-S_1 是关于 ξ 的连续函数，记 $F_{\xi}=S_2(\xi)-S_1(\xi)$，可知 $F_{\max}=S$，$F_{\min}=-S$，根据连续函数的介值定理可知，必存在实数 ζ，使 $F_{\xi}(\zeta)=0$，即 $S_2(\zeta)=S_1(\zeta)$，所以直线 $y=x+\zeta$ 平分该图形的面积，原题得证.

例 8 （2014 年上高级中学）若函数 $f(x)$ 在 $[a,b]$ 上连续，在 (a,b) 上可导，则在 (a,b) 内（　　）.

A. 至少存在一点 ζ，使 $f'(\zeta)=0$

B. 至多存在一点 ζ，使 $f'(\zeta)=0$

C. 一定不存在一点 ζ，使 $f'(\zeta)=0$

D. 不一定存在一点 ζ，使 $f'(\zeta)=0$

答案为 D.

解析 本题可利用函数导数的几何意义来解答，也可以直接利用罗尔定理.

由罗尔定理知，若函数 $f(x)$ 在 $[a,b]$ 上连续，在 (a,b) 上可导，且有 $f(a)=f(b)$，则一定存在 $\zeta\in(a,b)$，使 $f'(\zeta)=0$. 而 $f(a)\neq f(b)$ 时，则不一定成立. 题目中没有说明两个端点的函数值相等（ $f(a)=f(b)$ ），故 D 选项正确.

三、常考点同步练习

例 9 若 $f(x)$ 在 $[a,b]$ 上连续，在 (a,b) 上可导，且 $f(a)=f(b)$，则（　　）.

A. 至少存在一点 $\zeta\in(a,b)$，使得 $f'(\zeta)=0$

B. 一定不存在一点 $\zeta\in(a,b)$，使得 $f'(\zeta)=0$

C. 恰好存在一点 $\zeta\in(a,b)$，使得 $f'(\zeta)=0$

D. 对任意的 $\zeta\in(a,b)$，不一定能使 $f'(\zeta)=0$

答案为 A.

解析 本题考查微分中值定理的应用. 本题的已知条件满足罗尔定理的 3 个已知条件:(1)$f(x)$在闭区间$[a,b]$上连续;(2)$f(x)$在开区间(a,b)上可导;(3)$f(a)=f(b)$,所以由罗尔定理可知,在(a,b)上至少存在一点ξ使得$f'(\xi)=0$.

例 10 下列说法正确的是( ).

A. 若$f(x)$在$x=x_0$连续,则$f(x)$在$x=x_0$可导

B. 若$f(x)$在$x=x_0$不可导,则$f(x)$在$x=x_0$不连续

C. 若$f(x)$在$x=x_0$不可微,则$f(x)$在$x=x_0$的极限不存在

D. 若$f(x)$在$x=x_0$不连续,则$f(x)$在$x=x_0$不可导

答案为 D.

解析 本题考查连续、可微、可导三者之间的关系. 三者的关系可表述如下:

$y=f(x)$在点x_0可微$\Leftrightarrow$ $y=f(x)$在点x_0可导$\Rightarrow$ $y=f(x)$在点x_0连续.

“可导”等价于“可微”,“可导”一定“连续”,但是“连续”不一定“可导”,故选 D.

例 11 设$f(x)$在$[a,b]$上连续,且$\forall x\in[a,b]$,$f(x)\neq 0$,证明:$f(x)$在$[a,b]$上恒正或恒负.

解析 本题考查闭区间上连续函数的性质.

(反证法)假设存在$x_1,x_2\in[a,b]$,使得$f(x_1)$与$f(x_2)$异号,不妨设$x_1<x_2,f(x_1)>0,f(x_2)<0$,由于函数$f(x)$在$[a,b]$上连续,故$f(x)$在$[x_1,x_2]$上也连续. 由根的存在性定理可知,$\exists\xi\in(x_1,x_2)$使得$f(\xi)=0$. 这与在$[a,b]$上$f(x)\neq 0$矛盾,原题得证.

例 12 证明$\dfrac{b-a}{b}<\ln\dfrac{b}{a}<\dfrac{b-a}{a}$,其中$0<a<b$.

证明 记函数$f(x)=\ln x$,则函数$f(x)$在$[a,b]$上连续且可导,由拉格朗日中值定理知,$\exists\xi\in(a,b)$,使得$\ln\dfrac{b}{a}=\ln b-\ln a=f'(\xi)(b-a)=\dfrac{1}{\xi}(b-a)$. 又因为$0<a<\xi<b$,所以有$\dfrac{b-a}{b}<\dfrac{b-a}{\xi}<\dfrac{b-a}{a}$,从而$\dfrac{b-a}{b}<\ln\dfrac{b}{a}<\dfrac{b-a}{a}$.

核心考点四　不定积分与定积分

一、重要知识点

1. 基本概念

定义 1　（原函数）若函数 $f(x)$ 在区间 I 上连续，且 $F'(x)=f(x),\forall x\in I$，则称 $F(x)$ 为 $f(x)$ 的一个原函数.

定义 2　（不定积分）在区间 I 中，与 $f(x)$ 的原函数 $F(x)$ 相差一个常数 C 的函数族 $F(x)+C$ 称为 $f(x)$ 在区间 I 上的不定积分，记作 $\int f(x)\mathrm{d}x$，则有

$$\int f(x)\mathrm{d}x=F(x)+C.$$

定义 3　（定积分）设 $f(x)$ 在 $[a,b]$ 上有定义，J 是一个确定的实数. 若对 $\forall\varepsilon>0$，$\exists\delta>0$，在 $[a,b]$ 上的任何分割 T 中选取点集 $\{\xi_i\}$，只要 $\|T\|<\delta$，就有 $\left|\sum_{i=1}^{n}f(\xi_i)\Delta x_i-J\right|<\varepsilon$，则称 $f(x)$ 在区间 $[a,b]$ 上可积或者黎曼可积，且

$$J=\int_a^b f(x)\mathrm{d}x.$$

定义 4　（牛顿-莱布尼兹公式）若函数 $f(x)$ 在 $[a,b]$ 上连续，且 $F'(x)=f(x)$，$x\in[a,b]$，则称 $f(x)$ 在 $[a,b]$ 上可积，且

$$\int_a^b f(x)\mathrm{d}x=F(x)\big|_a^b=F(b)-F(a).$$

2. 换元积分

1）第一换元法

设 $f(x)$ 为定义在区间 I 上的函数，$\varphi(t)$ 在区间 J 上可导，且有 $\varphi(J)\subseteq I$. 若不定积分 $\int f(x)\mathrm{d}x=F(x)+C$ 在区间 I 上存在，则 $\int f(\varphi(t))\mathrm{d}\varphi(t)$ 在区间 I 上也存在，且有

$$\int f(\varphi(t))\mathrm{d}\varphi(t)=\int f(\varphi(t))\varphi'(t)\mathrm{d}t=F(\varphi(t))+C.$$

2）第二换元法

设 $x=\varphi(t)$ 在区间 J 上有反函数 $t=\varphi^{-1}(x)$，$x\in I$，不定积分 $\int f(x)\mathrm{d}x=$

$F(x)+C$，$x\in I$ 存在，若不定积分 $\int f(\varphi(t))\mathrm{d}\varphi(t)=G(\varphi^{-1}(x))+C$，$t\in J$ 也存在，则在区间 I 上有

$$\int f(x)\mathrm{d}x=G(\varphi^{-1}(x))+C.$$

3. 分部积分

若函数 $u(x)$ 和 $v(x)$ 在 $\mathbf{R}$ 上可导，且不定积分 $\int u'(x)v(x)\mathrm{d}x$ 和 $\int u(x)v'(x)\mathrm{d}x$ 均存在，则

$$\int u(x)\mathrm{d}v(x)=u(x)v(x)-\int v(x)\mathrm{d}u(x).$$

4. 可积条件

1）可积的必要条件

若函数 $f(x)$ 在区间 $[a,b]$ 内可积，则 $f(x)$ 在区间 $[a,b]$ 内必定有界.

2）可积的充分条件

若函数 $f(x)$ 在区间 $[a,b]$ 内连续，则 $f(x)$ 在区间 $[a,b]$ 内必定可积.

若函数 $f(x)$ 在区间 $[a,b]$ 内为只有有限个间断点的有界函数，则 $f(x)$ 在区间 $[a,b]$ 内必定可积.

若函数 $f(x)$ 在区间 $[a,b]$ 内单调，则 $f(x)$ 在区间 $[a,b]$ 内必定可积.

5. 定积分的性质

性质 1 若函数 $f(x)$ 在区间 $[a,b]$ 内可积，则 $kf(x)$ 在区间 $[a,b]$ 内也可积（k 为常数），且有

$$\int_a^b kf(x)\mathrm{d}x=k\int_a^b f(x)\mathrm{d}x.$$

性质 2 若函数 $f(x)$ 和 $g(x)$ 在区间 $[a,b]$ 内均可积，则 $f(x)\pm g(x)$ 在区间 $[a,b]$ 内也可积，且有

$$\int_a^b [f(x)\pm g(x)]\mathrm{d}x=\int_a^b f(x)\mathrm{d}x\pm\int_a^b g(x)\mathrm{d}x.$$

性质 3 若函数 $f(x)$ 和 $g(x)$ 在区间 $[a,b]$ 内均可积，则 $f(x)g(x)$ 在区间 $[a,b]$ 内也可积.

性质 4 若函数 $f(x)$ 在区间 $[a,b]$ 内可积，则对 $\forall h\in(a,b)$，$f(x)$ 在区

间 $[a,h]$ 和 $[h,b]$ 内均可积，且有

$$\int_a^b f(x)\mathrm{d}x=\int_a^h f(x)\mathrm{d}x+\int_h^b f(x)\mathrm{d}x.$$

注：$\int_a^b f(x)\mathrm{d}x=-\int_b^a f(x)\mathrm{d}x$，$\int_a^b f(x)\mathrm{d}x=0$（$a=b$）.

性质 5　若函数 $f(x)$ 在区间 $[a,b]$ 内可积，对 $\forall x\in[a,b]$，$f(x)\geqslant 0$，则有

$$\int_a^b f(x)\mathrm{d}x\geqslant 0.$$

性质 6　若函数 $f(x)$ 在区间 $[a,b]$ 内可积，则 $|f(x)|$ 在 $[a,b]$ 内也可积，且有

$$\left|\int_a^b f(x)\mathrm{d}x\right|\leqslant\int_a^b|f(x)|\mathrm{d}x.$$

6. 积分中值定理

设 $f(x)$ 为区间 $[a,b]$ 内的连续函数，则至少存在一点 $\xi\in[a,b]$，使得下式成立

$$\int_a^b f(x)\,\mathrm{d}x=f(\xi)(b-a).$$

二、真题解析

例 1　（2017 年上高级中学）若 $f(x)$ 是连续函数，则下列命题不正确的是（　）.

A. $f(x)$ 存在唯一的原函数 $\int_a^x f(t)\mathrm{d}t$

B. $f(x)$ 有无穷多个原函数

C. $f(x)$ 的原函数可以表示为 $\int_a^x f(t)\mathrm{d}t+r$（$r$ 为任意实数）

D. $\int_a^x f(t)\mathrm{d}t$ 是 $f(x)$ 的一个原函数

答案为 A.

解析　已知 $f(x)$ 为连续函数，则 $f(x)$ 存在原函数 $F(x)$，使得 $F(x)=\int_a^x f(t)\mathrm{d}t+r$（$r$ 为任意实数），故 $f(x)$ 的原函数不唯一，A 选项错误.

例 2 （2017 年上高级中学）已知 $f(x)$ 为区间 $[a,b]$ 上的连续函数，设 $F(x)=\int_a^x f(t)\,\mathrm{d}t$ ，$x\in[a,b]$，证明：

（1）$F(x)$ 在 $[a,b]$ 上连续.

（2）$F(x)$ 在 $[a,b]$ 上可导且 $F'(x)=f(x)$.

解析 本题考查函数连续的定义：若函数 $f(x)$ 在 x_0 的某个邻域内有定义，且 $\lim\limits_{x\to x_0} f(x)=f(x_0)$ ，则称 $f(x)$ 在点 x_0 连续.

（1）由于 $f(x)$ 在 $[a,b]$ 上连续，则 $f(x)$ 在任意 $x_0\in[a,b]$ 上都连续，即对 $\forall\varepsilon>0,\ \exists\delta>0$ ，当 $0<|x-x_0|<\delta$ 时，有 $|f(x)-f(x_0)|<\varepsilon$ 成立. 又 $F(x)=\int_a^x f(t)\mathrm{d}t$ ，$|F(x)-F(x_0)|=\left|\int_a^x f(t)\mathrm{d}t-\int_a^{x_0} f(t)\mathrm{d}t\right|=\left|\int_{x_0}^x f(t)\mathrm{d}t\right|$，且闭区间上连续函数是有界的，则对 $\forall x\in[a,b]$ ，必存在 $M>0$ ，使得 $|f(x)|\leqslant M$ ，所以 $|F(x)-F(x_0)|=\left|\int_a^x f(t)\mathrm{d}t-\int_a^{x_0} f(t)\mathrm{d}t\right|=\left|\int_{x_0}^x f(t)\mathrm{d}t\right|<(M+1)|x-x_0|$. 当 $|x-x_0|<\dfrac{\varepsilon}{M+1}$ 时，有 $|F(x)-F(x_0)|<\varepsilon$. 故 $F(x)$ 在 $[a,b]$ 上连续.

（2）要证明 $F(x)$ 在 $[a,b]$ 上可导且 $F'(x)=f(x)$ ，只需分别证明 $F(x)$ 在开区间 (a,b) 内可导，$F(x)$ 在左端点右可导和右端点左可导即可. 因为

$$\begin{aligned}F'(x)&=\lim_{\Delta x\to 0}\frac{F(x+\Delta x)-F(x)}{\Delta x}=\lim_{\Delta x\to 0}\frac{\int_a^{x+\Delta x} f(t)\mathrm{d}t-\int_a^x f(t)\mathrm{d}t}{\Delta x}\\&=\lim_{\Delta x\to 0}\frac{\int_x^{x+\Delta x} f(t)\mathrm{d}t}{\Delta x}=\lim_{\Delta x\to 0} f(x+\theta_0\Delta x)=f(x)\quad(0<\theta_0<1)\end{aligned}$$

$$\begin{aligned}F_+'(a)&=\lim_{x\to a^+}\frac{F(x)-F(a)}{x-a}=\lim_{x\to a^+}\frac{\int_a^x f(t)\mathrm{d}t}{x-a}\\&=\lim_{x\to a^+} f(a+\theta_1(x-a))=f(a)\quad(0\leqslant\theta_1\leqslant 1)\end{aligned}$$

$$\begin{aligned}F_-'(b)&=\lim_{x\to b^-}\frac{F(x)-F(b)}{x-b}=\lim_{x\to b^-}\frac{\int_b^x f(t)\mathrm{d}t}{x-b}\\&=\lim_{x\to b^-} f(b+\theta_2(x-b))=f(b)\quad(0\leqslant\theta_2\leqslant 1)\end{aligned}$$

所以综上可知，$F(x)$ 在 $[a,b]$ 上可导且 $F'(x)=f(x)$ ，得证.

例 3 （2017 年上初级中学）设 $f(x)$ 在 $[a,b]$ 上连续且 $\int_a^b f(x)\mathrm{d}x=0$，则下列表述正确的是（　）.

A. 对任意 $x\in[a,b]$，都有 $f(x)=0$

B. 至少存在一个 $x\in[a,b]$，使 $f(x)=0$

C. 对任意 $x\in[a,b]$，都有 $f(x)\neq 0$

D. 不一定存在 $x\in[a,b]$，使 $f(x)=0$

答案为 B.

解析 本题主要考查定积分的性质.

解法一：因为 $f(x)$ 在 $[a,b]$ 上连续且 $\int_a^b f(x)\mathrm{d}x=0$，所以只可能出现以下几种情况：（1）对于任意 $x\in[a,b]$，都有 $f(x)\equiv 0$；（2）曲线 $f(x)$ 在区间 $[a,b]$ 内与 x 轴上部和下部所围成的图形面积相等，这时 $f(x)$ 至少与 x 轴有一个交点，使得 $f(x)=0$. 综上知，B 选项正确.

解法二：令 $F(x)=\int_a^x f(z)\mathrm{d}z$，由于 $f(x)$ 在 $[a,b]$ 上连续，所以 $F(x)$ 在 $[a,b]$ 内处处可导，即 $F(x)$ 连续. 又由于 $F(a)=0, F(b)=0$，则由罗尔定理得，在区间 $[a,b]$ 内一定存在一点 ξ，满足 $F'(\xi)=f(\xi)=0$，故本题选择 B.

例 4 （2016 年上高级中学）若函数 $f(x)$ 在 $[0,1]$ 上黎曼可积，则 $f(x)$ 在 $[0,1]$ 上（　）.

A. 连续　　B. 单调　　C. 可导　　D. 有界

答案为 D.

解析 本题考查黎曼可积的必要条件：若 $f(x)$ 在某个区间 $[a,b]$ 上可积，则在此区间上必定有界.

连续、可微、可导、可积、有界五者之间的关系可表述如下：

$$\text{可微} \Longleftrightarrow \text{可导} \underset{\text{不成立}}{\overset{\text{成立}}{\rightleftarrows}} \text{连续} \underset{\text{不成立}}{\overset{\text{成立}}{\rightleftarrows}} \text{可积} \underset{\text{不成立}}{\overset{\text{成立}}{\rightleftarrows}} \text{有界}.$$

（注：2018 年下高级中学第 3 题再次考查了这个知识点）

例 5 （2018 年下高级中学）定积分 $\int_{-a}^{a} b\sqrt{1-\left(\frac{x}{a}\right)^2}\,\mathrm{d}x\ (a>0, b>0)$ 的值是（　）.

A. πab　　　　B. $\dfrac{\pi ab}{2}$　　　　C. $\dfrac{\pi ab}{3}$　　　　D. $\dfrac{\pi ab}{4}$

答案为 B.

解析　解法一：根据定积分的几何意义知，将等式 $y=b\sqrt{1-\left(\dfrac{x}{a}\right)^2}$ 两边同时求平方并整理得 $\dfrac{x^2}{a^2}+\dfrac{y^2}{b^2}=1$，此式为椭圆方程. 所以定积分 $\int_{-a}^{a}b\sqrt{1-\left(\dfrac{x}{a}\right)^2}\mathrm{d}x$ $(a>0,\ b>0)$ 表示的是 y 轴正半轴部分椭圆的面积，椭圆分别关于两个坐标轴对称，即 $\int_{-a}^{a}b\sqrt{1-\left(\dfrac{x}{a}\right)^2}\mathrm{d}x$ $(a>0,\ b>0)$ 的值是 $\dfrac{\pi ab}{2}$.

解法二(利用换元法计算)：令 $x=a\sin t$，有 $\mathrm{d}x=a\cos t\mathrm{d}t$，又 $-a\leqslant x\leqslant a$，可推出 $2k\pi-\dfrac{\pi}{2}\leqslant t\leqslant 2k\pi+\dfrac{\pi}{2}$ $(k=0,\pm1,\pm2,\cdots)$，所以原式可表达如下：

$$\begin{aligned}\int_{-\frac{\pi}{2}}^{\frac{\pi}{2}}b\cos t\cdot a\cos t\mathrm{d}t&=ab\int_{-\frac{\pi}{2}}^{\frac{\pi}{2}}\cos^2 t\mathrm{d}t=ab\int_{-\frac{\pi}{2}}^{\frac{\pi}{2}}\frac{\cos 2t+1}{2}\mathrm{d}t\\&=\frac{ab}{2}\left(\int_{-\frac{\pi}{2}}^{\frac{\pi}{2}}\cos 2t\mathrm{d}t+\int_{-\frac{\pi}{2}}^{\frac{\pi}{2}}\mathrm{d}t\right)=\frac{\pi ab}{2}.\end{aligned}$$

例 6　(2018 年上高级中学)设 $f(x)$ 是 $\mathbf{R}$ 上的可导函数，且 $f(x)>0$，若 $f'(x)-3x^2f(x)=0$，且 $f(0)=1$，求 $f(x)$.

解析　本题考查导数与积分知识点.

由 $f'(x)-3x^2f(x)=0$ 知 $\dfrac{\mathrm{d}f(x)}{\mathrm{d}x}=3x^2f(x)$，有 $\dfrac{\mathrm{d}f(x)}{f(x)}=3x^2\mathrm{d}x$，两边同时积分得

$$\int\frac{\mathrm{d}f(x)}{f(x)}=\int 3x^2\mathrm{d}x\Rightarrow \ln f(x)=x^3+C\text{，即 }f(x)=\mathrm{e}^{x^3+C}=C_1\mathrm{e}^{x^3}.$$

又因为 $f(0)=1=C_1$，所以 $f(x)=C_1\mathrm{e}^{x^3}=\mathrm{e}^{x^3}$.

例 7　(2017 年下高级中学)过点 $P(1,3)$ 作椭圆 $\dfrac{x^2}{4}+\dfrac{y^2}{12}=1$ 的切线，分别交 x 轴和 y 轴于点 A 和点 B，将线段 AB 绕 x 轴旋转一周，所成旋转曲面记作 S.

（1）在空间直角坐标系下，写出曲面 S 的方程.

（2）求曲面 S 与平面 $x=0$ 所围成的立体的体积.

解析　本题考查定积分的应用.

（1）对方程 $\dfrac{x^2}{4}+\dfrac{y^2}{12}=1$ 两边分别关于 x 求导，有 $\dfrac{2x}{4}+\dfrac{2yy'}{12}=0$，整理得 $y'=-\dfrac{6x}{2y}=-\dfrac{3x}{y}$. 又因为点 $P(1,3)$ 在椭圆上，所以 $y'(1,3)=-1$，从而过点 $P(1,3)$ 的切线方程为 $y=-x+4$. 不妨设 $y=-x+4$ 与 x 轴和 y 轴的交点分别为 A，B，联立方程 $\begin{cases} y=-x+4 \\ \dfrac{x^2}{4}+\dfrac{y^2}{12}=1 \end{cases}$ 解得 $A(4,0)$，$B(0,4)$，所以将线段 AB 绕 x 轴旋转一周得到曲面 S，旋转曲面 S 的方程为

$$\sqrt{y^2+z^2}=-x+4,\ 0\leqslant x\leqslant 4.$$

（2）若旋转体是由连续曲线 $y=f(x)$，直线 $x=a$，$x=b$ 以及 x 轴所围成的曲边梯形，记 V 为此曲边梯形绕 x 轴旋转一周所得的立体体积，则

$$V=\int_a^b \pi\left[f(x)\right]^2\mathrm{d}x=\int_a^b \pi y^2\mathrm{d}x$$

把 $y=-x+4$ 代入上式，即可得出所求旋转体的体积

$$\begin{aligned} V&=\int_0^4 \pi(4-x)^2\mathrm{d}x=-\pi\int_0^4(4-x)^2\mathrm{d}(4-x) \\ &=-\frac{1}{3}\pi(4-x)^3\Big|_0^4=0-\left(-\frac{64}{3}\pi\right)=\frac{64}{3}\pi. \end{aligned}$$

三、常考点同步练习

例 8　记函数 $f(x)$ 在 $x=0$ 处连续，且 $\lim\limits_{h\to 0}\dfrac{f(h^2)}{h^2}=1$，则（　　）.

A. $f(0)=0$ 且 $f_-'(0)=0$ 存在

B. $f(0)=1$ 且 $f_-'(0)=0$ 存在

C. $f(0)=0$ 且 $f_+'(0)=1$ 存在

D. $f(0)=1$ 且 $f_+'(0)=0$ 存在

答案为 C.

解析 本题考查连续函数的定义.

因为函数 $f(x)$ 在 $x=0$ 处连续，则 $\lim\limits_{x\to 0}f(x)=f(0)$，又 $\lim\limits_{h\to 0}\dfrac{f(h^2)}{h^2}=1$，则

$$\lim_{h\to 0}f(h^2)=0\text{，即 } f(0)=\lim_{x\to 0}f(x)=\lim_{h\to 0}f(h^2)=0\,.$$

又由于 $\lim\limits_{h\to 0}\dfrac{f(h^2)}{h^2}=\lim\limits_{h\to 0}\dfrac{f(h^2)-f(0)}{h^2}=1$，不妨令 $t=h^2$，则

$$f_+'(0)=\lim_{h\to 0}\frac{f(h^2)}{h^2}=\lim_{h\to 0}\frac{f(h^2)-f(0)}{h^2}=\lim_{t\to 0^+}\frac{f(t)-f(0)}{t}=1\,.$$

故选项 C 正确.

例 9 设函数 $f(x)$ 和 $g(x)$ 在 $[0,1]$ 上可导，且导函数连续，又有 $f(0)=0$，$f'(x)\geqslant 0, g'(x)\geqslant 0$，证明：$\int_0^a g(x)f'(x)\mathrm{d}x+\int_0^1 f(x)g'(x)\mathrm{d}x\geqslant f(a)g(1)$，其中 $a\in[0,1]$.

解析 构造函数

$$F(x)=\int_0^x g(t)f'(t)\mathrm{d}t+\int_0^1 f(t)g'(t)\mathrm{d}t-f(x)g(1)\,,$$

则
$$F'(x)=g(x)f'(x)-f'(x)g(1)=f'(x)(g(x)-g(1))\,.$$

由已知条件得 $F'(x)$ 在 $[0,1]$ 上连续，且 $F(x)\leqslant 0$，故 $F(x)$ 为 $[0,1]$ 上的单调递减函数，即 $\forall x\in[0,1]$ 有 $F(x)\geqslant F(1)$. 又

$$F(1)=\int_0^1 g(t)f'(t)\mathrm{d}t+\int_0^1 f(t)g'(t)\mathrm{d}t-f(1)g(1)\,,$$

$$\int_0^1 g(t)f'(t)\mathrm{d}t=\int_0^1 g(t)\mathrm{d}f(t)=g(t)f(t)\Big|_0^1-\int_0^1 f(t)g'(t)\mathrm{d}t$$

$$=f(1)g(1)-\int_0^1 f(t)g'(t)\mathrm{d}t,$$

所以 $F(1)=0$，因此 $x\in[0,1]$ 时 $F(x)\geqslant 0$，故原题得证.

例 10 设 $f(x)$ 是 $[a,b]$ 上的连续函数，且 $f(x)$ 不恒等于零，证明 $\int_a^b (f(x))^2\mathrm{d}x>0$.

解析 本题考查连续函数和定积分的性质.

因为 $f(x)$ 在 $[a,b]$ 上连续，$f(x)$ 不恒为零，则在区间 $[a,b]$ 上必有一点 x_0，在 x_0 的某邻域 $U(x_0,\delta)$ 内，对 $\forall x\in\{x:|x-x_0|\leqslant\delta\}$ 都有 $(f(x))^2>0$，所以

$$\begin{aligned}\int_a^b (f(x))^2\mathrm{d}x&=\int_a^{x_0-\delta}(f(x))^2\mathrm{d}x+\int_{x_0-\delta}^{x_0+\delta}(f(x))^2\mathrm{d}x+\int_{x_0+\delta}^{b}(f(x))^2\mathrm{d}x\\&\geqslant\int_{x_0-\delta}^{x_0+\delta}(f(x_0))^2\mathrm{d}x\\&=2(f(x_0))^2\delta>0.\end{aligned}$$

原题得证.

例 11 计算积分 $\int_0^{2\pi}\frac{\mathrm{d}x}{2+\sin x}$.

解析 令 $f(x)=\frac{1}{2+\sin x}$，即 $f(x)$ 的周期为 2π，有

$$\int_0^{2\pi}f(x)\mathrm{d}x=\int_{-\pi}^{\pi}f(x)\mathrm{d}x=\int_{-\pi}^{-\frac{\pi}{2}}f(x)\mathrm{d}x+\int_{-\frac{\pi}{2}}^{\frac{\pi}{2}}f(x)\mathrm{d}x+\int_{\frac{\pi}{2}}^{\pi}f(x)\mathrm{d}x.$$

令 $t=-\pi-x$，则有

$$\int_{-\pi}^{-\frac{\pi}{2}}\frac{\mathrm{d}x}{2+\sin x}=-\int_0^{-\frac{\pi}{2}}\frac{\mathrm{d}t}{2+\sin[-(\pi+t)]}=\int_{-\frac{\pi}{2}}^{0}\frac{\mathrm{d}t}{2+\sin t}.$$

令 $t=\pi-x$，则有

$$\int_{\frac{\pi}{2}}^{\pi}f(x)\mathrm{d}x=\int_0^{\frac{\pi}{2}}f(x)\mathrm{d}x\text{，可知}\int_0^{2\pi}f(x)\mathrm{d}x=2\int_{-\frac{\pi}{2}}^{\frac{\pi}{2}}f(x)\mathrm{d}x.$$

令 $t=\tan\frac{x}{2}$，则有

$$2\int_{-\frac{\pi}{2}}^{\frac{\pi}{2}} f(x)\mathrm{d}x = 2\int_{-1}^{1} \frac{\mathrm{d}t}{t^2+t+1} = 2\int_{-1}^{1} \frac{\mathrm{d}\left(t+\frac{1}{2}\right)}{\left(t+\frac{1}{2}\right)^2+\frac{3}{4}}$$

$$= \frac{4}{\sqrt{3}} \arctan \frac{2}{\sqrt{3}}\left(t+\frac{1}{2}\right)\Bigg|_{-1}^{1}$$

$$= \frac{4}{\sqrt{3}}\left(\arctan\sqrt{3} + \arctan\frac{1}{\sqrt{3}}\right) = \frac{2\pi}{\sqrt{3}}.$$

故

$$\int_0^{2\pi} \frac{\mathrm{d}x}{2+\sin x} = \frac{2\pi}{\sqrt{3}}.$$

例 12 计算 $\int \sqrt{a^2-x^2}\mathrm{d}x\ (a>0)$.

解析 本题考查利用换元法积分.

令 $x = a\sin t$ ，则

$$\sqrt{a^2-x^2} = a\cos t,\ \mathrm{d}x = a\cos t\mathrm{d}t\ \left(2k\pi - \frac{\pi}{2} \leqslant t \leqslant 2k\pi + \frac{\pi}{2}, k=0,\pm 1,\pm 2,\cdots\right),$$

所以

$$\int \sqrt{a^2-x^2}\mathrm{d}x = \int a^2\cos^2 t\mathrm{d}t = \frac{a^2}{2}\int (1+\cos 2t)\mathrm{d}t$$

$$= \frac{a^2}{2}t + \frac{a^2}{2}\cdot\frac{1}{2}\sin 2t + C = \frac{a^2}{2}\left(t + \cdot\frac{1}{2}\sin 2t\right) + C.$$

又 $x = a\sin t \Rightarrow t = \arcsin\frac{x}{a}$ ，所以

$$\int \sqrt{a^2-x^2}\mathrm{d}x = \frac{a^2}{2}\left(t + \frac{1}{2}\sin 2t\right) + C$$

$$= \frac{a^2}{2}\left(\arcsin\frac{x}{a} + \frac{x}{a}\cdot\frac{\sqrt{a^2-x^2}}{a}\right) + C$$

$$= \frac{a^2}{2}\arcsin\frac{x}{a} + \frac{x}{2}\sqrt{a^2-x^2} + C.$$

例 13 计算 $\int x\mathrm{e}^x\mathrm{d}x$.

解析 本题考查分部积分.

由分部积分公式 $\int u(x)\mathrm{d}v(x) = u(x)v(x) - \int v(x)\mathrm{d}u(x)$ 知

$$\int xe^x dx = \int x de^x = xe^x - \int e^x dx = xe^x - e^x + C.$$

核心考点五　级数

一、重要知识点

1. 级数的定义

给定数列$\{u_n\}$，则 $\sum_{n=1}^{\infty} u_n = u_1 + u_2 + u_3 + \cdots + u_n + \cdots$ 称为常数项无穷级数或数项级数（简称为级数）. 其中，u_n称为其通项，$S_n = u_1 + u_2 + u_3 + \cdots + u_n$称为第$n$个部分和，级数$\sum_{n=1}^{\infty} u_n$与第$n$个部分和数列$\{S_n\}$具有相同的敛散性.

2. 基本性质

（1）级数$\sum_{n=1}^{\infty} u_n$与级数$\sum_{n=1}^{\infty} ku_n$（k为不为零的常数）具有相同的敛散性.

（2）在级数中去掉、增加或改变级数的有限项，不改变级数的敛散性.

（3）若两个级数$\sum_{n=1}^{\infty} u_n$和$\sum_{n=1}^{\infty} v_n$收敛，且和分别为u和v，则$\sum_{n=1}^{\infty} u_n \pm \sum_{n=1}^{\infty} v_n$也收敛，且和为$u \pm v$.

（4）若级数$\sum_{n=1}^{\infty} u_n$收敛，对级数的项任意加括号后，其敛散性与级数和仍保持不变.

（5）若对级数中的项加括号后级数发散，则原级数也发散.

（6）若级数$\sum_{n=1}^{\infty} u_n$收敛，则$\lim_{n\to\infty} u_n = 0$（级数收敛的必要条件）.

3. 几个重要级数

（1）等比级数（几何级数）：级数$\sum_{n=1}^{\infty} q^n$，当$|q|<1$时收敛，当$|q|\geqslant 1$发散.

（2）p级数（$p=1$称调和级数）：级数$\sum_{n=1}^{\infty} \frac{1}{n^p}$，当$p>1$时收敛，当$p\leqslant 1$发散.

（3）正项级数：若通项 $u_n \geqslant 0\ (n=1,2,\cdots)$，则 $\sum\limits_{n=1}^{\infty} u_n$ 称为正项级数.

注：正项级数的部分和数列 $\{S_n\}$ 单调递增，其收敛的充分必要条件是 $\{S_n\}$ 有界.

4. 正项级数的相关判别法

1）比较判别法

级数 $\sum\limits_{n=1}^{\infty} u_n$ 和 $\sum\limits_{n=1}^{\infty} v_n$ 都为正项级数，且 $\forall n > N \in \mathbf{N}^+$，有 $u_n \geqslant v_n\ (n=1,2,\cdots)$，若 $\sum\limits_{n=1}^{\infty} u_n$ 收敛，则 $\sum\limits_{n=1}^{\infty} v_n$ 收敛；若 $\sum\limits_{n=1}^{\infty} v_n$ 发散，则 $\sum\limits_{n=1}^{\infty} u_n$ 发散.

2）比较判别法的极限形式

设 $\sum\limits_{n=1}^{\infty} u_n$ 和 $\sum\limits_{n=1}^{\infty} v_n$ 都为正项级数，若 $\lim\limits_{n\to\infty} \dfrac{u_n}{v_n} = k$，则有

当 $0 < k < +\infty$ 时，$\sum\limits_{n=1}^{\infty} u_n$ 和 $\sum\limits_{n=1}^{\infty} v_n$ 具有相同的敛散性；

当 $k = 0$ 时，若 $\sum\limits_{n=1}^{\infty} v_n$ 收敛，则 $\sum\limits_{n=1}^{\infty} u_n$ 也收敛；

当 $k = +\infty$ 时，若 $\sum\limits_{n=1}^{\infty} v_n$ 发散，则 $\sum\limits_{n=1}^{\infty} u_n$ 也发散.

3）比值判别法（达朗贝尔判别法）

设 $\sum\limits_{n=1}^{\infty} u_n$ 为正项级数，且 $\lim\limits_{n\to\infty} \dfrac{u_{n+1}}{u_n} = k$，则 $k < 1$ 时，级数 $\sum\limits_{n=1}^{\infty} u_n$ 收敛；$k > 1$ 时，级数 $\sum\limits_{n=1}^{\infty} u_n$ 发散；$k = 1$ 时，$\sum\limits_{n=1}^{\infty} u_n$ 的敛散性有待讨论.

4）根式判别法

设 $\sum\limits_{n=1}^{\infty} u_n$ 为正项级数，且 $\lim\limits_{n\to\infty} \sqrt[n]{u_n} = \lambda$，则 $\lambda < 1$ 时，级数 $\sum\limits_{n=1}^{\infty} u_n$ 收敛；$\lambda > 1$ 时，级数 $\sum\limits_{n=1}^{\infty} u_n$ 发散.

5）与 p 级数的比较

若 $n \to \infty$ 时，u_n 是 $\dfrac{1}{n^p}$ 的高阶无穷小量，若 $p > 1$，则 $\sum\limits_{n=1}^{\infty} u_n$ 收敛；

若 $n\to\infty$ 时，u_n 是 $\frac{1}{n^p}$ 的高阶无穷小量，若 $p\leqslant 1$，级数 $\sum_{n=1}^{\infty}u_n$ 发散.

5. 一般项级数

1）交错级数的敛散性

莱布尼兹判别法：若交错级数 $\sum_{n=1}^{\infty}(-1)^n u_n(u_n>0)$ 满足以下两个条件：

（1）数列 $\{u_n\}$ 单调递减；（2）$\lim_{n\to\infty}u_n=0$，则级数 $\sum_{n=1}^{\infty}(-1)^n u_n$ 收敛.

2）绝对收敛与条件收敛

若级数 $\sum_{n=1}^{\infty}|u_n|$ 收敛，则称 $\sum_{n=1}^{\infty}u_n$ 绝对收敛；若级数 $\sum_{n=1}^{\infty}u_n$ 收敛，但级数 $\sum_{n=1}^{\infty}|u_n|$ 发散，则称 $\sum_{n=1}^{\infty}u_n$ 条件收敛.

注：绝对收敛一定可推出收敛，反之不一定成立.

6. 函数项级数的收敛点与收敛域

设函数项级数 $\sum_{n=1}^{\infty}u_n(x)$ 的定义域为 I，若常数项级数 $\sum_{n=1}^{\infty}u_n(x_0)$（$x_0\in I$）收敛，则称 x_0 为级数 $\sum_{n=1}^{\infty}u_n(x)$ 的收敛点；所有收敛点构成的集合称为收敛域，所有发散点构成的集合称为发散域.

7. 幂级数的收敛半径与收敛域

记常数 r 为幂级数 $\sum_{n=1}^{\infty}a_n(x-x_0)^n$ 的收敛半径，则 (x_0-r,x_0+r) 为幂级数的收敛区间，对于幂级数的收敛域，可通过考虑幂级数在点 $x=x_0\pm r$ 上的敛散性得到.

特别地，当 $x_0=0$ 时，$\sum_{n=1}^{\infty}a_n(x-x_0)^n=\sum_{n=1}^{\infty}a_n x^n$，所以幂级数 $\sum_{n=1}^{\infty}a_n x^n$ 的收敛半径 r 由以下方法求出：

若 $\lim\limits_{n\to\infty}\left|\dfrac{a_{n+1}}{a_n}\right|=k$（或 $\lim\limits_{n\to\infty}\sqrt[n]{|a_n|}=k$），则 $r=\begin{cases}\dfrac{1}{k}, & 0<k<+\infty \\ 0, & k=+\infty \\ +\infty, & k=0\end{cases}$

二、真题解析

例 1　（2015 年下高级中学）函数级数 $\sum\limits_{n=1}^{\infty}\dfrac{3^n}{n}x^n$ 的收敛区间为（　　）.

A. $(-3,3)$　　B. $\left(-\dfrac{1}{3},\ \dfrac{1}{3}\right]$　　C. $\left[-\dfrac{1}{3},\ \dfrac{1}{3}\right)$　　D. $[-3,3]$

答案为 C.

解析　本题考查级数的收敛域知识点.

记 $a_n=\dfrac{3^n}{n}$，因为 $\lim\limits_{n\to\infty}\left|\dfrac{a_{n+1}}{a_n}\right|=\dfrac{1}{r}$，所以级数 $\sum\limits_{n=1}^{\infty}\dfrac{3^n}{n}x^n$ 的收敛半径为 $r=\lim\limits_{n\to\infty}\left|\dfrac{a_n}{a_{n+1}}\right|=\lim\limits_{n\to\infty}\left|\dfrac{\frac{3^n}{n}}{\frac{3^{n+1}}{n+1}}\right|=\dfrac{1}{3}$，又 $\sum\limits_{n=1}^{\infty}\dfrac{3^n}{n}\cdot\left(\dfrac{1}{3}\right)^n=\sum\limits_{n=1}^{\infty}\dfrac{1}{n}$，而调和级数 $\sum\limits_{n=1}^{\infty}\dfrac{1}{n}$ 是发散的，故收敛区间为 $\left[-\dfrac{1}{3},\dfrac{1}{3}\right)$，故 C 选项正确.

例 2　（2017 年下高级中学）下列四个级数中条件收敛的是（　　）.

A. $\sum\limits_{n=1}^{\infty}\dfrac{1}{n}$　　B. $\sum\limits_{n=1}^{\infty}\dfrac{1}{n^2}$　　C. $\sum\limits_{n=1}^{\infty}(-1)^n\dfrac{1}{n^2}$　　D. $\sum\limits_{n=1}^{\infty}(-1)^n\dfrac{1}{n}$

答案为 D.

解析　该题目主要考查条件收敛与绝对收敛的定义.

调和级数 $\sum\limits_{n=1}^{\infty}\dfrac{1}{n}$ 为发散的，所以选项 A 错；$\sum\limits_{n=1}^{\infty}\dfrac{1}{n^2}$ 为 p 级数（正项级数），且 $p>1$，故为绝对收敛，所以选项 B 错；交错级数 $\sum\limits_{n=1}^{\infty}(-1)^n\dfrac{1}{n^2}$ 收敛，且 $\sum\limits_{n=1}^{\infty}\left|(-1)^n\dfrac{1}{n^2}\right|=\sum\limits_{n=1}^{\infty}\dfrac{1}{n^2}$ 收敛，故为绝对收敛，故选项 C 错；交错级数 $\sum\limits_{n=1}^{\infty}(-1)^n\dfrac{1}{n}$

收敛，但 $\sum_{n=1}^{\infty}\left|(-1)^n\frac{1}{n}\right|=\sum_{n=1}^{\infty}\frac{1}{n}$ 发散，故选 D.

例 3 （2017 年下初级中学）下列四个级数中发散的是（　　）.

A. $\sum_{n=1}^{\infty}\frac{1}{n}$　　B. $\sum_{n=1}^{\infty}\frac{1}{n^2}$　　C. $\sum_{n=1}^{\infty}(-1)^n\frac{1}{n}$　　D. $\sum_{n=1}^{\infty}(-1)^n\frac{1}{n^2}$

答案为 A.

解析 本题考查级数的敛散性.

由莱布尼兹判别法知，交错级数 $\sum_{n=1}^{\infty}(-1)^n\frac{1}{n}$ 和 $\sum_{n=1}^{\infty}(-1)^n\frac{1}{n^2}$ 收敛，即可排除选项 C、D；级数 $\sum_{n=1}^{\infty}\frac{1}{n^2}$ 为 p 级数，且 $p>1$ 是收敛的，故可排除选项 B；调和级数选项 $\sum_{n=1}^{\infty}\frac{1}{n}$ 为发散的，所以本题选 A.

例 4 （2016 年上高级中学）下列级数中，不收敛的是（　　）.

A. $\sum_{n=1}^{\infty}\frac{(-1)^n}{n}$　　B. $\sum_{n=1}^{\infty}\frac{1}{n^2}$　　C. $\sum_{n=1}^{\infty}\frac{1}{n}$　　D. $\sum_{n=1}^{\infty}\frac{1}{n!}$

答案为 C.

解析 本题考查级数的敛散性.

由莱布尼兹判别法知，交错级数 $\sum_{n=1}^{\infty}(-1)^n\frac{1}{n}$ 收敛，即可排除 A 选项；级数 $\sum_{n=1}^{\infty}\frac{1}{n^2}$ 为 p 级数且 $p>1$，故收敛，故可排除选项 B；利用比值判别法知级数 $\sum_{n=1}^{\infty}\frac{1}{n!}$ 收敛，故排除 D 选项；而调和级数 $\sum_{n=1}^{\infty}\frac{1}{n}$ 为发散的，所以本题选 C.

例 5 （2019 年上初、高级中学）已知 $f(x)=\sum_{n=1}^{\infty}(-1)^{n-1}\frac{1}{(2n-1)!}(\pi x)^{2n-1}$，则 $f(1)=$（　　）.

A. -1　　B. 0　　C. 1　　D. π

答案为 B.

解析 本题考查级数及泰勒公式的展开.

因为函数 $f(x)=\sin x$ 在 0 点的泰勒展开式为

$$\sin x = x - \frac{x^3}{3!} + \frac{x^5}{5!} + \cdots + (-1)^{n-1}\frac{x^{2n-1}}{(2n-1)!} + \cdots = \sum_{n=1}^{\infty}(-1)^{n-1}\frac{x^{2n-1}}{(2n-1)!},$$

所以
$$f(x) = \sum_{n=1}^{\infty}(-1)^{n-1}\frac{1}{(2n-1)!}(\pi x)^{2n-1} = \sin \pi x,$$

即 $f(1) = \sin \pi = 0$，故选 B.

三、常考点同步练习

例 6 若级数 $\sum_{n=1}^{\infty}(-1)^n a_n 3^n$ 收敛，则级数 $\sum_{n=1}^{\infty} a_n$（ ）.

A. 绝对收敛　　B. 条件收敛

C. 发散　　D. 收敛性不确定

答案为 A.

解析 因为级数 $\sum_{n=1}^{\infty}(-1)^n a_n 3^n$ 收敛，由级数收敛的必要条件得 $\lim_{n\to\infty}(-1)^n a_n 3^n = 0 \Rightarrow \exists N > 0$，当 $n > N$ 时，有 $|(-1)^n a_n 3^n| < 1$ 成立，即 $|a_n| < \left(\frac{1}{3}\right)^n$，因为级数 $\sum_{n=1}^{\infty}\left(\frac{1}{3}\right)^n$ 收敛，所以级数 $\sum_{n=1}^{\infty}|a_n|$ 收敛，即 $\sum_{n=1}^{\infty} a_n$ 绝对收敛.

例 7 若级数 $\sum_{n=1}^{\infty} a_n$ 收敛，级数 $\sum_{n=1}^{\infty} b_n$ 发散，则下列说法正确的是（ ）.

A. $\sum_{n=1}^{\infty} a_n b_n$ 必发散　　B. $\sum_{n=1}^{\infty} a_n^2$ 必收敛

C. $\sum_{n=1}^{\infty} b_n^2$ 必收敛　　D. $\sum_{n=1}^{\infty}(a_n + |b_n|)$ 必发散

答案为 D.

解析 当 $\sum_{n=1}^{\infty} a_n$ 为常数级数 0 时，$\sum_{n=1}^{\infty} a_n b_n$ 不一定发散，故选项 A 不正确；对于级数 $\sum_{n=1}^{\infty} a_n^2$ 不妨记 $a_n = \frac{(-1)^n}{\sqrt{n}}$，则 $\sum_{n=1}^{\infty} a_n^2 = \sum_{n=1}^{\infty}\frac{1}{n}$，显然是发散的，故选项 B 不正确；对于级数 $\sum_{n=1}^{\infty} b_n$ 不妨令 $b_n = 4$，显然 $\sum_{n=1}^{\infty} b_n^2$ 是发散的，故选项 C 不正确；对于

级数 $\sum_{n=1}^{\infty}(a_n+|b_n|)$，因为 $|b_n|\geqslant 0$，且 $\sum_{n=1}^{\infty}|b_n|$ 发散，所以 $\sum_{n=1}^{\infty}(a_n+|b_n|)=\sum_{n=1}^{\infty}a_n+\sum_{n=1}^{\infty}|b_n|$ 也发散.

例 8 级数 $\sum_{n=1}^{\infty}\frac{\sin nx}{n^2}$ 的敛散性为（　　）.

A. 条件收敛　　B. 绝对收敛　　C. 发散　　D. 无法判断

答案为 B.

解析 本题考查比较判别法知识点.

由 $\sin nx<1$ 得 $\left|\frac{\sin nx}{n^2}\right|<\frac{1}{n^2}$，而级数 $\sum_{n=1}^{\infty}\frac{1}{n^2}$ 为 p 级数且 $p=2>1$，故 $\sum_{n=1}^{\infty}\frac{1}{n^2}$ 收敛，由比较判别法知 $\sum_{n=1}^{\infty}\left|\frac{\sin nx}{n^2}\right|$ 收敛，即级数 $\sum_{n=1}^{\infty}\frac{\sin nx}{n^2}$ 绝对收敛，故选 B.

例 9 求级数 $\sum_{n=1}^{\infty}\frac{x^n}{n^2}$ 的收敛域.

解析 本题考查幂级数的收敛域知识点.

由于 $\lim_{n\to\infty}\frac{a_{n+1}}{a_n}=\lim_{n\to\infty}\frac{(n+1)^2}{n^2}=\lim_{n\to\infty}\frac{n^2+2n+1}{n^2}=1$，所以收敛半径 $r=1$，当 $x=1$ 时 $\sum_{n=1}^{\infty}\frac{x^n}{n^2}=\sum_{n=1}^{\infty}\frac{1}{n^2}$ 收敛，当 $x=-1$ 时 $\sum_{n=1}^{\infty}\frac{x^n}{n^2}=\sum_{n=1}^{\infty}\frac{(-1)^n}{n^2}$ 也收敛. 综上可知，级数的收敛域为 $[-1,1]$.

第 2 章　高等代数

为了让考生进一步了解高等代数这部分知识在教师资格证考试中的情况，了解命题规律、核心考点，熟悉考试题型的基本特点，掌握解题策略，抓住问题本质，从而高效备考，本章归纳和整理《数学学科知识与教学能力》中高等代数部分的历年真题，结合考试大纲提炼出核心考点，并给出大量常考点和同步练习.

考点统计与分析

教师资格证考试中《数学学科知识与教学能力》2014—2019 年真题中高等代数部分（初、高级中学）知识点的考查情况统计如表 2.1 所示.

表 2.1　2014—2019 年数学学科知识中“高等代数”考点

时间		题型	知识点	题量		分值	
				各题型题量	题量	各题型分值	总分值
2014（初、高）	上半年	选择题	欧式空间	2	2	10	10
	下半年	选择题	特征向量；矩阵	2	3	10	20
		解答题	空间维数	1		10	
2015（初、高）	上半年	选择题	方程的根	1	2	5	12
		简答题	整除	1		7	
	下半年	选择题	多项式；线性变换	2	3	10	17
		简答题	线性方程组	1		7	
2016（初、高）	上半年	选择题	特征值；二次型	2	3	10	20
		解答题	正交基	1		10	

续表

时间		题型	知识点	题量		分值	
				各题型题量	题量	各题型分值	总分值
2016（初、高）	下半年	选择题	行列式；特征值	2	4	10	24
		简答题	线性变换；线性方程组	2		14	
2017（初、高）	上半年	选择题	线性变换；特征向量	2	3	10	17
		简答题	线性相关	1		7	
	下半年	选择题	矩阵的秩；二次型	2	3	10	17
		简答题 解答题	标准正交基	1		7	
2018（初、高）	上半年	选择题	矩阵与方程	1	3	5	19
		简答题	逆矩阵、映射	2		14	
	下半年	选择题	向量组的线性相关性；线性空间的维数、基	2	3	10	17
		简答题	矩阵作用下的坐标变换	1		7	
2019（初、高）	上半年	选择题	矩阵的初等行变换	2	4	20	20
			特征值	2			

2014—2019 年真题中“高等代数”常考点及其出现的频数和考查题型如表 2.2、图 2.1 所示.

表 2.2　2014—2019 年“高等代数”常考点及其出现的频数和考查题型

序号	知识点名称	出现的频数	考查题型
1	欧式空间	1	选择题
2	特征值、特征向量	5	选择题、简答题
3	线性空间的维数	2	选择题、简答题
4	矩阵的性质	5	选择题、简答题
5	多项式	3	选择题
6	线性变换	4	选择题

续表

序号	知识点名称	出现的频数	考查题型
7	线性方程组	3	选择题
8	二次型	2	选择题、简答题
9	标准正交基	2	简答题
10	行列式	1	简答题
11	线性相关性	2	选择题
12	映射	1	简答题
13	线性空间的基	1	选择题、简答题

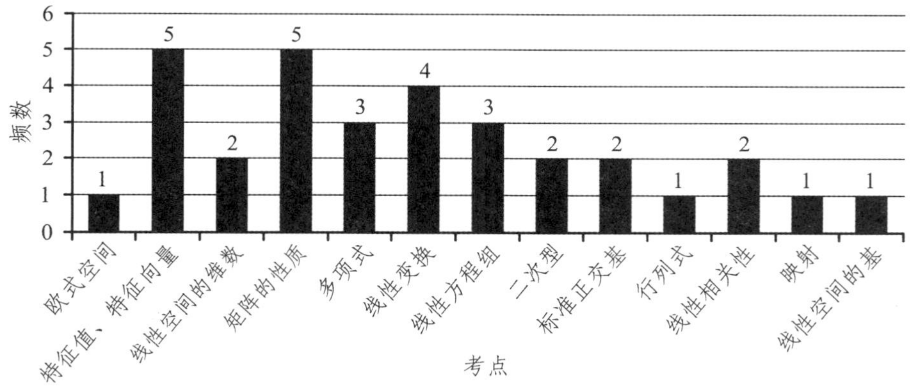

图 2.1　2014—2019 年考点及考点出现的频数统计

经过对教师资格证考试中《数学学科知识与教学能力》的历年真题进行观察、分析、比较、总结和归纳，发现高等代数考试题型主要有单项选择题、简答题、解答题，知识点包含多项式、行列式、线性方程组、矩阵、二次型、线性空间、线性变换、欧氏空间等内容.

从表 2.1、表 2.2 和图 2.1 可看出，高等代数这部分考查的知识点较多，考查范围较广. 其中，特征值、特征向量和矩阵的性质为高频核心考点，被考频数高达 5 次，多项式、线性变换和线性方程组也为常考点，多次出现在真题中. 从真题的考查形式看，每一道题目都不是以独立知识点的形式存在，而多以多个知识点交叉融合进行考查. 如：2019 年上半年教师资格证考试中的第 6 题，表面上看是考查特征值和特征向量知识点，但在解题的过程中，会利用到线性方程组非零解的个数与对应系数矩阵的秩之间的关系，同时还利用了线性无关组向量的个数与对应矩阵非零行向量的个数之间的关系. 所以，考生在备考时应全面系统地复习，并重点突击高频考点，在理解并掌握知识点的基础上，学会利用知识解决具体问题.

下面将研究近六年来教师资格证考试中高等代数部分的核心考点和对应真题，给出解题思路，归纳总结解题技巧并提供大量的同步练习，以供考生参考和练习.

核心考点一　多项式

一、重要知识点

定理 1　（带余除法）设 $f(x)$ 与 $g(x)$（ $g(x)\neq 0$ ）为 $P[x]$ 中的任意两个多项式，则 $P[x]$ 中一定存在唯一的多项式 $q(x)$， $r(x)$ ，使得

$$f(x)=q(x)g(x)+r(x)$$

成立，其中 $\partial(r(x))<\partial(g(x))$ 或 $r(x)=0$，则称 $q(x)$ 为 $g(x)$ 除 $f(x)$ 的商式，$r(x)$ 为 $g(x)$ 除 $f(x)$ 的余式.

定理 2　设 $f(x)$ 与 $g(x)$ 为 $P[x]$ 中的任意两个多项式，若 $P[x]$ 中的多项式 $d(x)$ 满足：

（1） $d(x)$ 是 $f(x)$， $g(x)$ 的公因式；

（2） $f(x)$， $g(x)$ 的公因式全是 $d(x)$ 的因式.

则称多项式 $d(x)$ 为 $f(x)$ 与 $g(x)$ 的一个最大公因式.

定义 1　设 $f(x)$ 与 $g(x)$ 为 $P[x]$ 中的任意两个多项式，若 $P[x]$ 中的多项式 $h(x)$ 满足等式 $f(x)=g(x)h(x)$ ，则称多项式 $g(x)$ 整除 $f(x)$ ，记作 $g(x)|f(x)$ ， $g(x)$ 称为 $f(x)$ 的因式. 若多项式 $g(x)$ 不整除 $f(x)$ ，记作 $g(x)\nmid f(x)$.

二、真题解析

例 1 （2015 年下高级中学）若多项式 $f(x)=x^4+x^3-3x^2-4x-1$ 和 $g(x)=x^3+x^2-x-1$，$f(x)$ 和 $g(x)$ 的公因式为（　　）.

A. $x+1$　　　　B. $x+3$　　　　C. $x-1$　　　　D. $x-2$

答案为 A.

解析　本题考查多项式的公因式的知识点. 辗转相除法和赋值法都可以解决此类问题，深刻理解定理、多做相关练习是复习的关键.

解法一（辗转相除法）：

	$g(x)$	$f(x)$	
$h_2(x)=-\frac{1}{2}x+\frac{1}{4}$	x^3+x^2-x-1 $x^3+\frac{3}{2}x^2+\frac{1}{2}x$	$x^4+x^3-3x^2-4x-1$ $x^4+x^3-x^2-x$	$x=h_1(x)$
	$-\frac{1}{2}x^2-\frac{3}{2}x-1$ $-\frac{1}{2}x^2-\frac{3}{4}x-\frac{1}{4}$	$-2x^2-3x-1=r_1(x)$ $-2x^2-2x$	$\frac{8}{3}x+\frac{4}{3}=h_3(x)$
	$r_2(x)=-\frac{3}{4}x-\frac{3}{4}$	$-x-1$ $-x-1$	
		0	

$$f(x)=h_1(x)g(x)+r_1(x)$$

$$g(x)=h_2(x)r_1(x)+r_2(x)$$

$$r_1(x)=h_3(x)r_2(x)=\left(\frac{8}{3}x+\frac{4}{3}\right)\left(-\frac{3}{4}x-\frac{3}{4}\right)$$

因此

$$(f(x),g(x))=x+1.$$

解法二（赋值法）：

将 $x_0=-1,-3,1,2$ 代入 $f(x)$ 和 $g(x)$，因为 $f(-1)=0=g(-1)$，所以 $x+1$ 为 $f(x)$ 和 $g(x)$ 的公因式.

例 2 （2015 年上高级中学）设 $x=\alpha$ 是代数方程 $f(x)=0$ 的根，则下列结论不成立的是（　　）.

A. $x-\alpha$ 是 $f(x)$ 的因式

B. $x-\alpha$ 整除 $f(x)$

C. $(\alpha,0)$ 是函数 $y=f(x)$ 的图像与 x 轴的交点

D. $f'(\alpha)=0$

答案为 D.

解析 本题主要考查方程的根、整除和因式与方程根之间的关系.

$x=\alpha$ 是 $f(x)=0$ 的根，即 $f(\alpha)=0$. 由 $x-\alpha$ 是 $f(x)$ 的因式即 $(x-\alpha)\mid f(x)$，得 $x=\alpha$ 是 $f(x)=0$ 的根，故 $y=f(x)$ 的图像与 x 轴有交点，且交点为 $(\alpha,0)$，则 $f'(x)$ 不一定等于 0. 反例：$f(x)=x-1$，$f'(x)=1$.

例 3 （2015 年上高级中学）$x=\dfrac{p}{q}$ 是整系数方程 $3x^3+bx^2+cx+8=0$ 的根，其中 p,q 互素，证明：p 整除 8，q 整除 3.

解析 本题主要考查多项式的整除知识点，可用待定系数法来解决.

证明 设 $f(x)=3x^3+bx^2+cx+8$，则

$$f\left(\frac{p}{q}\right)=(qx-p)(ax^2+mx+n)=aqx^3+(mq-ap)x^2+(nq-mp)x-np=0,$$

又 a,m,n 均为整数且 $aq=3$，$-np=8$，所以 $p\mid 8$，$q\mid 3$.

三、常考点同步练习

例 4 已知 $f(x)=x^4-2x+5$，$g(x)=x^2-x+2$，求 $g(x)$ 除 $f(x)$ 所得的商式 $q(x)$ 和余式 $r(x)$.

解析 因为 $f(x)=g(x)q(x)+r(x)$，由带余除法

x^2-x+2	x^4-2x+5	x^2+x-1
	$x^4-x^3+2x^2$	
	x^3-2x^2-2x+5	
	x^3-x^2+2x	
	$-x^2-4x+5$	
	$-x^2+x-2$	
	$-5x+7$	

得所求商式 $q(x)=x^2+x-1$，余式 $r(x)=-5x+7$.

例 5 若多项式 $f(x)=\begin{vmatrix}1 & 1 & 1 & 1\\ 0 & 1 & -1 & -1\\ 0 & -1 & 1 & -1\\ x & -1 & -1 & 1\end{vmatrix}$，则多项式的常数项为（　　）.

A. 4　　　　B. −4　　　　C. 1　　　　D. 4

答案为 B.

解析 因为

$$f(x)=\begin{vmatrix}1 & 1 & 1 & 1\\ 0 & 1 & -1 & -1\\ 0 & -1 & 1 & -1\\ x & -1 & -1 & 1\end{vmatrix}=\begin{vmatrix}1 & -1 & -1\\ -1 & 1 & -1\\ -1 & -1 & 1\end{vmatrix}-x\begin{vmatrix}1 & 1 & 1\\ 1 & -1 & -1\\ -1 & 1 & -1\end{vmatrix},$$

所以，常数项

$$\begin{vmatrix}1 & -1 & -1\\ -1 & 1 & -1\\ -1 & -1 & 1\end{vmatrix}=\begin{vmatrix}1 & -1 & -1\\ 0 & 0 & -2\\ 0 & -2 & 0\end{vmatrix}=-\begin{vmatrix}1 & -1 & -1\\ 0 & -2 & 0\\ 0 & 0 & -2\end{vmatrix}=-4.$$

例 6 若 $x^2+mx-1\,|\,x^3+px+q$，则 m,p,q 应满足什么条件？

解析 不妨设 $(x^2+mx-1)(x+k)=x^3+px+q$，由整除的定义知，只需对应系数相等即可.

设 $(x^2+mx-1)(x+k)=x^3+px+q$，则

$$x^3+(k+m)x^2+(km-1)x-k=x^3+px+q.$$

又 $x^2+mx-1\,|\,x^3+px+q$，所以，比较系数得

$$k+m=0,\quad km-1=p,\quad -k=q,\ 即\ p=-m^2-1,\quad q=m.$$

故当 m,p,q 满足 $p=-m^2-1$，$q=m$ 时，有 $x^2+mx-1\,|\,x^3+px+q$.

例 7 证明：若 $(x-1)\,|\,f(x^n)$，则 $(x^n-1)\,|\,f(x^n)$.

解析 由 $(x-1)\,|\,f(x^n)$，可以推出 $x=1$ 是 $f(x^n)=0$ 的根，即 $f(1^n)=f(1)=0$，故 $x=1$ 也是 $f(x)=0$ 的根，即 $(x-1)\,|\,f(x)$，用 x^n 代替 x，所以 $(x^n-1)\,|\,f(x^n)$.

核心考点二　行列式

一、重要知识点

行列式性质如下：

性质 1　行列式的行和列互换，行列式不变.

$$\begin{vmatrix} a_{11} & a_{12} & \cdots & a_{1n} \\ a_{21} & a_{22} & \cdots & a_{2n} \\ \vdots & \vdots & & \vdots \\ a_{n1} & a_{n2} & \cdots & a_{nn} \end{vmatrix} = \begin{vmatrix} a_{11} & a_{21} & \cdots & a_{n1} \\ a_{12} & a_{22} & \cdots & a_{n2} \\ \vdots & \vdots & & \vdots \\ a_{1n} & a_{2n} & \cdots & a_{nn} \end{vmatrix}.$$

性质 2　若行列式中某一行的公因子可以提到行列式外面，行列式的一行乘一个常数等于行列式乘这一常数.

$$\begin{vmatrix} a_{11} & a_{12} & \cdots & a_{1n} \\ \vdots & \vdots & & \vdots \\ ka_{i1} & ka_{i2} & \cdots & ka_{in} \\ \vdots & \vdots & & \vdots \\ a_{n1} & a_{n2} & \cdots & a_{nn} \end{vmatrix} = k \begin{vmatrix} a_{11} & a_{12} & \cdots & a_{1n} \\ \vdots & \vdots & & \vdots \\ a_{i1} & a_{i2} & \cdots & a_{in} \\ \vdots & \vdots & & \vdots \\ a_{n1} & a_{n2} & \cdots & a_{nn} \end{vmatrix}.$$

性质 3　若行列式某一行为两组数的和，那么此行列式等于两个除了此行外其他元素跟原来一样的行列式之和.

$$\begin{vmatrix} a_{11} & a_{12} & \cdots & a_{1n} \\ \vdots & \vdots & & \vdots \\ b_1+c_1 & b_2+c_2 & \cdots & b_n+c_n \\ \vdots & \vdots & & \vdots \\ a_{n1} & a_{n2} & \cdots & a_{nn} \end{vmatrix} = \begin{vmatrix} a_{11} & a_{12} & \cdots & a_{1n} \\ \vdots & \vdots & & \vdots \\ b_1 & b_2 & \cdots & b_n \\ \vdots & \vdots & & \vdots \\ a_{n1} & a_{n2} & \cdots & a_{nn} \end{vmatrix} + \begin{vmatrix} a_{11} & a_{12} & \cdots & a_{1n} \\ \vdots & \vdots & & \vdots \\ c_1 & c_2 & \cdots & c_n \\ \vdots & \vdots & & \vdots \\ a_{n1} & a_{n2} & \cdots & a_{nn} \end{vmatrix}.$$

性质 4　若行列式中两行的对应元素相同，则行列式为零.

性质 5　若行列式中两行相差常数倍，则行列式为零.

性质 6　若行列式中把一行的倍数加到另一行，行列式保持不变.

性质 7　若对换行列式两行的位置，行列式的值互为相反数.

定理　（克莱姆法则）若线性方程组为

$$\begin{cases} a_{11}x_1 + a_{12}x_2 + \cdots + a_{1n}x_n = b_1 \\ a_{21}x_1 + a_{22}x_2 + \cdots + a_{2n}x_n = b_2 \\ \cdots\cdots\cdots\cdots \\ a_{n1}x_1 + a_{n2}x_2 + \cdots + a_{nn}x_n = b_n \end{cases} \tag{2.1}$$

其系数矩阵 $\boldsymbol{A} = \begin{pmatrix} a_{11} & a_{12} & \cdots & a_{1n} \\ a_{21} & a_{22} & \cdots & a_{2n} \\ \vdots & \vdots & & \vdots \\ a_{n1} & a_{n2} & \cdots & a_{nn} \end{pmatrix}$，若 $\boldsymbol{A}$ 的行列式 $d = |\boldsymbol{A}| \neq 0$，则称线性方程组（2.1）有唯一解，解为 $x_1 = \dfrac{d_1}{d}, x_2 = \dfrac{d_2}{d}, \cdots, x_j = \dfrac{d_j}{d}, \cdots, x_n = \dfrac{d_n}{d}$，其中

$$d_j = \begin{vmatrix} a_{11} & \cdots & a_{1,j-1} & b_1 & a_{1,j+1} & \cdots & a_{1n} \\ a_{21} & \cdots & a_{2,j-1} & b_2 & a_{2,j+1} & \cdots & a_{2n} \\ \vdots & & \vdots & \vdots & \vdots & & \vdots \\ a_{n1} & \cdots & a_{n,j-1} & b_n & a_{n,j+1} & \cdots & a_{nn} \end{vmatrix}, j = 1, 2, \cdots, n.$$

二、真题解析

例 1　（2016 年下高级中学）下列命题正确的是（　　）.

A. 若 n 阶行列式 $D = 0$，那么 D 中有两行元素相同

B. 若 n 阶行列式 $D = 0$，那么 D 中有两行元素对应成比例

C. 若 n 阶行列式 D 中有 $n^2 - n$ 个元素为零，则 $D = 0$

D. 若 n 阶行列式 D 中有 $n^2 - n + 1$ 个元素为零，则 $D = 0$

答案为 D.

解析　本题主要考查行列式的性质.

由行列式的性质知，行列式的元素满足多种情况时，都有可能导致行列式的值为 0，故 A、B 选项错；如当 $n = 3$ 时，行列式 $\begin{vmatrix} b & 0 & 0 \\ 0 & b & 0 \\ 0 & 0 & b \end{vmatrix} (b \neq 0)$ 有 $n^2 - n$

个元素为零，但$\begin{vmatrix} b & 0 & 0 \\ 0 & b & 0 \\ 0 & 0 & b \end{vmatrix} \neq 0$，故选项 C 错；选项 D 满足行列式的性质，故 D 选项正确.

三、常考点同步练习

例 2 计算行列式

$$A=\begin{vmatrix} 1 & 2 & 3 & 4 \\ 2 & 3 & 4 & 1 \\ 3 & 4 & 1 & 2 \\ 4 & 1 & 2 & 3 \end{vmatrix}.$$

解

$$A=\begin{vmatrix} 1 & 2 & 3 & 4 \\ 2 & 3 & 4 & 1 \\ 3 & 4 & 1 & 2 \\ 4 & 1 & 2 & 3 \end{vmatrix}=\begin{vmatrix} 10 & 2 & 3 & 4 \\ 10 & 3 & 4 & 1 \\ 10 & 4 & 1 & 2 \\ 10 & 1 & 2 & 3 \end{vmatrix}=10\begin{vmatrix} 1 & 2 & 3 & 4 \\ 1 & 3 & 4 & 1 \\ 1 & 4 & 1 & 2 \\ 1 & 1 & 2 & 3 \end{vmatrix}$$

$$=10\begin{vmatrix} 1 & 2 & 3 & 4 \\ 0 & 1 & 1 & -3 \\ 0 & 2 & -2 & -2 \\ 0 & -1 & -1 & -1 \end{vmatrix}=10\begin{vmatrix} 1 & 2 & 3 & 4 \\ 0 & 1 & 1 & -3 \\ 0 & 0 & -4 & 4 \\ 0 & 0 & 0 & -4 \end{vmatrix}=160.$$

例 3 利用克莱姆法则求解方程组

$$\begin{cases} 2x_1+x_2-5x_3+x_4=8 \\ x_1-3x_2-6x_4=9 \\ 2x_2-x_3+2x_4=-5 \\ x_1+4x_2-7x_3+6x_4=0 \end{cases}.$$

解 此方程组系数矩阵所对应的行列式

$$d=\begin{vmatrix} 2 & 1 & -5 & 1 \\ 1 & -3 & 0 & -6 \\ 0 & 2 & -1 & 2 \\ 1 & 4 & -7 & 6 \end{vmatrix}=-\begin{vmatrix} 1 & -3 & 0 & -6 \\ 2 & 1 & -5 & 1 \\ 0 & 2 & -1 & 2 \\ 1 & 4 & -7 & 6 \end{vmatrix}=-\begin{vmatrix} 1 & -3 & 0 & -6 \\ 0 & 7 & -5 & 13 \\ 0 & 2 & -1 & 2 \\ 0 & 7 & -7 & 12 \end{vmatrix}$$

$$=-\begin{vmatrix}1&-3&0&-6\\0&1&-2&7\\0&0&3&-12\\0&0&-2&-1\end{vmatrix}=-1\times1\times\left[3\times(-1)-(-2)\times(-12)\right]=27\neq0,$$

又有

$$d_1=\begin{vmatrix}8&1&-5&1\\9&-3&0&-6\\-5&2&-1&2\\0&4&-7&6\end{vmatrix}=81，\quad d_2=\begin{vmatrix}2&8&-5&1\\1&9&0&-6\\0&-5&-1&2\\1&0&-7&6\end{vmatrix}=-108，$$

$$d_3=\begin{vmatrix}2&1&8&1\\1&-3&9&-6\\0&2&-5&2\\1&4&0&6\end{vmatrix}=-27，\quad d_4=\begin{vmatrix}2&1&-5&8\\1&-3&0&9\\0&2&-1&-5\\1&4&-7&0\end{vmatrix}=27，$$

所以，由克莱姆法则得方程组的唯一解

$$x_1=\frac{d_1}{d}=\frac{81}{27}=3，\quad x_2=\frac{d_2}{d}=\frac{-108}{27}=-4，$$

$$x_3=\frac{d_3}{d}=\frac{-27}{27}=-1，\quad x_4=\frac{d_4}{d}=\frac{27}{27}=1.$$

例 4　要使齐次线性方程组

$$\begin{cases}(5-\lambda)x_1+2x_2+2x_3=0\\2x_1+(6-\lambda)x_2=0\\2x_1+(4-\lambda)x_3=0\end{cases}$$

有非零解，λ 应该取什么值？

解析　不妨记线性方程组的系数矩阵 $\boldsymbol{A}$，则其所对应的行列式

$$|\boldsymbol{A}|=\begin{vmatrix}5-\lambda&2&2\\2&6-\lambda&0\\2&0&4-\lambda\end{vmatrix}=(5-\lambda)(2-\lambda)(8-\lambda)，$$

因为当 $\lambda = 2,5,8$ 时 $|\boldsymbol{A}| = 0$，所以要满足方程组有非零解，λ 取 2, 5, 8.

例 5 计算行列式

$$A_n = \begin{vmatrix} a & b & b & \cdots & b \\ b & a & b & \cdots & b \\ b & b & a & \cdots & b \\ \vdots & \vdots & \vdots & \ddots & \vdots \\ b & b & b & \cdots & a \end{vmatrix}.$$

解

$$\begin{vmatrix} a & b & b & \cdots & b \\ b & a & b & \cdots & b \\ b & b & a & \cdots & b \\ \vdots & \vdots & \vdots & \ddots & \vdots \\ b & b & b & \cdots & a \end{vmatrix} = \begin{vmatrix} a+(n-1)b & b & b & \cdots & b \\ a+(n-1)b & a & b & \cdots & b \\ a+(n-1)b & b & a & \cdots & b \\ \vdots & \vdots & \vdots & \ddots & \vdots \\ a+(n-1)b & b & b & \cdots & a \end{vmatrix} = [a+(n-1)b]\begin{vmatrix} 1 & b & b & \cdots & b \\ 1 & a & b & \cdots & b \\ 1 & b & a & \cdots & b \\ \vdots & \vdots & \vdots & \ddots & \vdots \\ 1 & b & b & \cdots & a \end{vmatrix}$$

$$= [a+(n-1)b]\begin{vmatrix} 1 & b & b & \cdots & b \\ 0 & a-b & 0 & \cdots & 0 \\ 0 & 0 & a-b & \cdots & 0 \\ \vdots & \vdots & \vdots & \ddots & \vdots \\ 0 & 0 & 0 & \cdots & a-b \end{vmatrix} = [a+(n-1)b](a-b)^{n-1}.$$

核心考点三　线性方程组

一、重要知识点

定义 1 若向量组 $\boldsymbol{\alpha}_1,\boldsymbol{\alpha}_2,\cdots,\boldsymbol{\alpha}_m (m \geqslant 2)$ 的一个向量可以由余下的其他向量线性表出，则称向量组 $\boldsymbol{\alpha}_1,\boldsymbol{\alpha}_2,\cdots,\boldsymbol{\alpha}_m$ 为线性相关的.

定义 2 若存在不全为零的数 $k_1,k_2,\cdots,k_m$（$k_i \in P$），使得 $k_1\boldsymbol{\alpha}_1 + k_2\boldsymbol{\alpha}_2 + \cdots + k_m\boldsymbol{\alpha}_m = \boldsymbol{0}$，则称向量组 $\boldsymbol{\alpha}_1,\boldsymbol{\alpha}_2,\cdots,\boldsymbol{\alpha}_m (m \geqslant 1)$ 为线性相关的.

定义 3 对于向量组 $\boldsymbol{\alpha}_1,\boldsymbol{\alpha}_2,\cdots,\boldsymbol{\alpha}_m (m \geqslant 1)$，若没有不全为零的数 $k_1,k_2,\cdots,k_m$ 使 $k_1\boldsymbol{\alpha}_1 + k_2\boldsymbol{\alpha}_2 + \cdots + k_m\boldsymbol{\alpha}_m = \boldsymbol{0}$，则向量组 $\boldsymbol{\alpha}_1,\boldsymbol{\alpha}_2,\cdots,\boldsymbol{\alpha}_m (m \geqslant 1)$ 称为线性无关；换种说法，向量组 $\boldsymbol{\alpha}_1,\boldsymbol{\alpha}_2,\cdots,\boldsymbol{\alpha}_m (m \geqslant 1)$ 称为线性无关的，若 $k_1\boldsymbol{\alpha}_1 + k_2\boldsymbol{\alpha}_2 + \cdots + k_m\boldsymbol{\alpha}_m = \boldsymbol{0}$，必有 $k_1 = k_2 = \cdots = k_m = 0$.

定义 4　若一个向量组的极大线性无关组包含 m 个向量，则称这个向量组的秩为 m.

定理 1　一个矩阵的行秩与列秩是相等的，矩阵的行秩与列秩都称为矩阵的秩.

定义 5　若一向量组的一个部分组是线性无关的，则称此部分组为一个极大线性无关组，若对向量组中任意添一个向量，所得的新部分向量组是线性相关的.

定理 2　（线性方程组有解判别定理）一个线性方程组有解，则系数矩阵与增广矩阵有相同的秩,反过来也成立. 即以下方程组有解的充分必要条件为：$r(\boldsymbol{A})=r(\overline{\boldsymbol{A}})$.

$$\begin{cases} a_{11}x_1+a_{12}x_2+\cdots+a_{1n}x_n=b_1 \\ a_{21}x_1+a_{22}x_2+\cdots+a_{2n}x_n=b_2 \\ \quad\cdots\cdots\cdots\cdots \\ a_{s1}x_1+a_{s2}x_2+\cdots+a_{sn}x_n=b_s \end{cases} \tag{2.2}$$

系数矩阵

$$\boldsymbol{A}=\begin{pmatrix} a_{11} & a_{12} & \cdots & a_{1n} \\ a_{21} & a_{22} & \cdots & a_{2n} \\ \vdots & \vdots & & \vdots \\ a_{s1} & a_{s2} & \cdots & a_{sn} \end{pmatrix}.$$

增广矩阵

$$\overline{\boldsymbol{A}}=\begin{pmatrix} a_{11} & a_{12} & \cdots & a_{1n} & b_1 \\ a_{21} & a_{22} & \cdots & a_{2n} & b_2 \\ \vdots & \vdots & & \vdots & \vdots \\ a_{s1} & a_{s2} & \cdots & a_{sn} & b_s \end{pmatrix}.$$

定义 6　若齐次线性方程组

$$\begin{cases} a_{11}x_1+a_{12}x_2+\cdots+a_{1n}x_n=0 \\ a_{21}x_1+a_{22}x_2+\cdots+a_{2n}x_n=0 \\ \quad\cdots\cdots\cdots\cdots \\ a_{s1}x_1+a_{s2}x_2+\cdots+a_{sn}x_n=0 \end{cases} \tag{2.3}$$

的一组解$\boldsymbol{\eta}_1,\boldsymbol{\eta}_2,\cdots,\boldsymbol{\eta}_t$满足下面两个条件，则称其为（2.3）的一个基础解系：

（1）方程组的任意一个解都能用$\boldsymbol{\eta}_1,\boldsymbol{\eta}_2,\cdots,\boldsymbol{\eta}_t$的线性组合来表示；

（2）向量组$\boldsymbol{\eta}_1,\boldsymbol{\eta}_2,\cdots,\boldsymbol{\eta}_t$是线性无关的.

定理 3　若齐次线性方程组有非零解，则其必有基础解系，且基础解系所含解的个数等于$n-r$（r为系数矩阵的秩，$n-r$为自由未知量的个数）.

定理 4　设方程组（2.2）的一个特解为$\boldsymbol{\gamma}_0$，则方程组（2.3）的任意一个解$\boldsymbol{\gamma}$都可以下式来表示

$$\boldsymbol{\gamma}=\boldsymbol{\gamma}_0+\boldsymbol{\eta}.$$

1. 求极大线性无关组的方法

1）扩充法

给定向量组$\boldsymbol{\alpha}_1,\boldsymbol{\alpha}_2,\cdots,\boldsymbol{\alpha}_n$，要求其为非零的.

（1）先找出一个非零向量，若$\boldsymbol{\alpha}_1\neq\mathbf{0}$，则$\boldsymbol{\alpha}_1$线性无关，保留$\boldsymbol{\alpha}_1$；

（2）在$\boldsymbol{\alpha}_1$中加入$\boldsymbol{\alpha}_2$，若$\boldsymbol{\alpha}_1$，$\boldsymbol{\alpha}_2$线性无关，则保留下来，否则去掉$\boldsymbol{\alpha}_2$；

（3）依次进行下去，最后$\boldsymbol{\alpha}_1$将可逐步扩充成为一个极大线性无关组.

2）初等变换法

将矩阵$\boldsymbol{A}=(\boldsymbol{\alpha}_1,\boldsymbol{\alpha}_2,\cdots,\boldsymbol{\alpha}_n)$作初等行变换可得到$\boldsymbol{A}'=(\boldsymbol{\beta}_1,\boldsymbol{\beta}_2,\cdots,\boldsymbol{\beta}_n)$，则$\boldsymbol{\alpha}_{j1},\boldsymbol{\alpha}_{j2},\cdots,\boldsymbol{\alpha}_{js}$是$\boldsymbol{A}$的极大线性无关组与$\boldsymbol{\beta}_{j1},\boldsymbol{\beta}_{j2},\cdots,\boldsymbol{\beta}_{js}$是$\boldsymbol{A}'$的极大线性无关组互为充要条件，其中$1\leqslant j_1,j_1,\cdots,j_s\leqslant n$.

2. 解线性方程组$\boldsymbol{AX}=\boldsymbol{B}$的常用方法

1）消元法

（1）将方程组的增广矩阵化为阶梯形矩阵；

（2）判断方程组是否有解，若系数矩阵的秩与增广矩阵的秩相同，则方程组有解，否则无解；

（3）求方程组的一个特解和方程组的一个基础解系，方程组的通解即为特解与基础解系之和.

2）利用克莱姆法则求解

适用条件为方程组中未知量的个数与方程的个数相同.

（1）求方程组系数矩阵所对应的行列式$|\boldsymbol{A}|$；

（2）解出$|\boldsymbol{A}_1|,|\boldsymbol{A}_2|,\cdots,|\boldsymbol{A}_n|$，其中$|\boldsymbol{A}_i|$为在其余元素不动的情况下，用等式右边的常数列替换系数矩阵$|\boldsymbol{A}|$中第i列$(i=1,\cdots,n)$.

（3）$\left(\dfrac{|\boldsymbol{A}_1|}{|\boldsymbol{A}|},\dfrac{|\boldsymbol{A}_2|}{|\boldsymbol{A}|},\cdots,\dfrac{|\boldsymbol{A}_n|}{|\boldsymbol{A}|}\right)$为方程组$\boldsymbol{AX}=\boldsymbol{B}$的唯一解.

二、真题解析

例 1　（2018 年下高级中学）与向量$\boldsymbol{\alpha}=(1,0,1)$，$\boldsymbol{\beta}=(1,1,0)$线性无关的向量是（　）.

A. $(2,1,1)$　　B. $(3,2,1)$

C. $(1,2,1)$　　D. $(3,1,2)$

答案为 C.

解析　本题考查向量组中向量间线性相关性的判断.

向量组$\boldsymbol{\alpha},\boldsymbol{\beta},\boldsymbol{\gamma}$线性无关与矩阵$\boldsymbol{A}=(\boldsymbol{\alpha}^{\mathrm{T}},\boldsymbol{\beta}^{\mathrm{T}},\boldsymbol{\gamma}^{\mathrm{T}})$满秩或$|\boldsymbol{A}|\neq 0$互为充要条件.

分别将选项 A、B、C、D 中向量的转置记作$\boldsymbol{\gamma}^{\mathrm{T}}$，由$\boldsymbol{A}=(\boldsymbol{\alpha}^{\mathrm{T}},\boldsymbol{\beta}^{\mathrm{T}},\boldsymbol{\gamma}^{\mathrm{T}})$分别得到$\begin{vmatrix}1&1&2\\0&1&1\\1&0&1\end{vmatrix}=0$，$\begin{vmatrix}1&1&3\\0&1&2\\1&0&1\end{vmatrix}=0$，$\begin{vmatrix}1&1&1\\0&1&2\\1&0&1\end{vmatrix}=2\neq 0$，$\begin{vmatrix}1&1&3\\0&1&1\\1&0&2\end{vmatrix}=0$，所以选项 C 正确.

例 2　（2018 年上初、高级中学）若矩阵$\begin{pmatrix}a&b\\c&d\end{pmatrix}$与$\begin{pmatrix}a&b&u\\c&d&v\end{pmatrix}$的秩均为 2，则线性方程组$\begin{cases}ax+by=u\\cx+dy=v\end{cases}$解的个数为（　）.

A. 0 个　　B. 1 个　　C. 2 个　　D. 无穷多个

答案为 B.

解析　设$\boldsymbol{AX}=\boldsymbol{B}$为含有$n$个未知量的非齐次线性方程组，则其有解的充分必要条件为$r(\boldsymbol{A})=r(\overline{\boldsymbol{A}})$. 当$r(\boldsymbol{A})=r(\overline{\boldsymbol{A}})=n$时，$\boldsymbol{AX}=\boldsymbol{B}$有唯一解；当$r(\boldsymbol{A})=r(\overline{\boldsymbol{A}})<n$时，$\boldsymbol{AX}=\boldsymbol{B}$有无穷多解；当$r(\boldsymbol{A})<r(\overline{\boldsymbol{A}})$时，$\boldsymbol{AX}=\boldsymbol{B}$没有解.

因为$\begin{cases} ax+by=u \\ cx+dy=v \end{cases}$的系数矩阵$\begin{pmatrix} a & b \\ c & d \end{pmatrix}$的秩与增广矩阵$\begin{pmatrix} a & b & u \\ c & d & v \end{pmatrix}$的秩等于未知量的个数 2，所以该方程组有唯一解.

例 3 （2017 年下初、高级中学）矩阵$\begin{pmatrix} 0 & 1 & 2 \\ 3 & 0 & 1 \\ -1 & 2 & 0 \end{pmatrix}$的秩为（　　）.

A. 0　　　　B. 1　　　　C. 2　　　　D. 3

答案为 D.

解析 本题考查矩阵的秩知识点.

解法一：对矩阵$\begin{pmatrix} 0 & 1 & 2 \\ 3 & 0 & 1 \\ -1 & 2 & 0 \end{pmatrix}$作初等行变换，得

$$\begin{pmatrix} 1 & -2 & 0 \\ 0 & 1 & 2 \\ 0 & 6 & 1 \end{pmatrix} \to \begin{pmatrix} 1 & -2 & 0 \\ 0 & 1 & 2 \\ 0 & 0 & -11 \end{pmatrix},$$

所以矩阵$\begin{pmatrix} 0 & 1 & 2 \\ 3 & 0 & 1 \\ -1 & 2 & 0 \end{pmatrix}$的秩为 3.

解法二：因为

$$\begin{vmatrix} 0 & 1 & 2 \\ 3 & 0 & 1 \\ -1 & 2 & 0 \end{vmatrix} = -\begin{vmatrix} 1 & -2 & 0 \\ 0 & 1 & 2 \\ 0 & 0 & -11 \end{vmatrix} = 11 \neq 0,$$

所以矩阵$\begin{pmatrix} 0 & 1 & 2 \\ 3 & 0 & 1 \\ -1 & 2 & 0 \end{pmatrix}$的秩为 3.

例 4 （2017 年上高级中学）已知向量组$\boldsymbol{\alpha}_1=(2,1,-2)$，$\boldsymbol{\alpha}_2=(1,1,0)$，$\boldsymbol{\alpha}_3=(t,2,2)$线性相关.

（1）求 t 的值；

（2）求出该向量组的一个极大线性无关组，并将其余向量用极大无关组线性表示.

解析 本题考查向量的线性相关性.

（1）由已知条件知，向量组 $\boldsymbol{\alpha}_1=(2,1,-2)$，$\boldsymbol{\alpha}_2=(1,1,0)$，$\boldsymbol{\alpha}_3=(t,2,2)$ 线性相关，则存在一组不全为零的数 k_1,k_2,k_3，使得 $k_1\boldsymbol{\alpha}_1+k_2\boldsymbol{\alpha}_2+k_3\boldsymbol{\alpha}_3=\boldsymbol{0}$. 所以，齐次线性方程组 $\begin{cases}2k_1+k_2+tk_3=0\\k_1+k_2+2k_3=0\\-2k_1+2k_3=0\end{cases}$ 的系数矩阵所对应的行列式为

$$\begin{vmatrix}2&1&t\\1&1&2\\-2&0&2\end{vmatrix}=2-2(2-t)=0\text{，得 }t=1.$$

（2）因为 $(\boldsymbol{\alpha}_1,\ \boldsymbol{\alpha}_2,\ \boldsymbol{\alpha}_3)=\begin{pmatrix}2&1&1\\1&1&2\\-2&0&2\end{pmatrix}\to\begin{pmatrix}1&1&2\\0&1&3\\0&0&0\end{pmatrix}$，可推出 $\boldsymbol{\alpha}_3=3\boldsymbol{\alpha}_2-\boldsymbol{\alpha}_1$，所以 $\boldsymbol{\alpha}_1,\boldsymbol{\alpha}_2$ 为 $\boldsymbol{\alpha}_1,\boldsymbol{\alpha}_2,\boldsymbol{\alpha}_3$ 的一个极大线性无关组.

例 5 （2016 年下高级中学）

（1）叙述线性方程组 $\boldsymbol{AX}=\boldsymbol{B}$ 有解的充要条件；

（2）求线性方程组 $\begin{cases}x_1+x_2-x_3-x_4=1\\x_1+2x_2+2x_3+3x_4=-3\\2x_1+3x_2+x_3+2x_4=-2\end{cases}$ 的通解.

解析 线性方程组 $\boldsymbol{AX}=\boldsymbol{B}$ 有解的充分必要条件是 $r(\boldsymbol{A})=r(\overline{\boldsymbol{A}})$.

（1）设 $\boldsymbol{AX}=\boldsymbol{B}$ 为含有 n 个未知量的非齐次线性方程组，$r(\boldsymbol{A})$ 为系数矩阵的秩，$r(\overline{\boldsymbol{A}})$ 为增广矩阵的秩，则线性方程组有解的充分必要条件为 $r(\boldsymbol{A})=r(\overline{\boldsymbol{A}})$.

当 $r(\boldsymbol{A})=r(\overline{\boldsymbol{A}})=n$ 时，$\boldsymbol{AX}=\boldsymbol{B}$ 有唯一解；当 $r(\boldsymbol{A})=r(\overline{\boldsymbol{A}})<n$ 时，$\boldsymbol{AX}=\boldsymbol{B}$ 有无穷多解；当 $r(\boldsymbol{A})<r(\overline{\boldsymbol{A}})$ 时，$\boldsymbol{AX}=\boldsymbol{B}$ 没有解.

（2）增广矩阵

$$\overline{\boldsymbol{A}}=\left(\begin{array}{cccc:c}1&1&-1&-1&1\\1&2&2&3&-3\\2&3&1&2&-2\end{array}\right)\to\left(\begin{array}{cccc:c}1&0&-4&-5&5\\0&1&3&4&-4\\0&0&0&0&0\end{array}\right),$$

即 $\begin{cases}x_1=4x_3+5x_4+5\\x_2=-3x_3-4x_4-4\end{cases}$，所以 $\boldsymbol{AX}=\boldsymbol{0}$ 的基础解系为

$$\boldsymbol{\alpha}_1=\begin{pmatrix}4\\-3\\1\\0\end{pmatrix},\quad \boldsymbol{\alpha}_2=\begin{pmatrix}5\\-4\\0\\1\end{pmatrix}.$$

不妨令 $x_3=1$，$x_4=0$，可得到线性方程组 $\boldsymbol{AX}=\boldsymbol{B}$ 的一个特解 $\boldsymbol{\beta}=\begin{pmatrix}9\\-7\\1\\0\end{pmatrix}$，则所求方程组的通解为

$$\boldsymbol{X}=\boldsymbol{\beta}+k_1\boldsymbol{\alpha}_1+k_2\boldsymbol{\alpha}_2=\begin{pmatrix}9\\-7\\1\\0\end{pmatrix}+k_1\begin{pmatrix}4\\-3\\1\\0\end{pmatrix}+k_2\begin{pmatrix}5\\-4\\0\\1\end{pmatrix},$$

其中 k_1,k_2 为常数.

例 6 （2015 年下高级中学）求证：非齐次线性方程组 $\begin{cases}a_1x+b_1y+c_1z=d_1\\a_2x+b_2y+c_2z=d_2\\a_3x+b_3y+c_3z=d_3\end{cases}$ 有唯一解，当且仅当向量 $\boldsymbol{v}_1=\begin{pmatrix}a_1\\a_2\\a_3\end{pmatrix}$，$\boldsymbol{v}_2=\begin{pmatrix}b_1\\b_2\\b_3\end{pmatrix}$，$\boldsymbol{v}_3=\begin{pmatrix}c_1\\c_2\\c_3\end{pmatrix}$ 线性无关.

解析 本题考查非齐次线性方程组有解的充分必要条件是其系数矩阵与增广矩阵有相同的秩.

解法一（右推左）：由向量 $\boldsymbol{v}_1=\begin{pmatrix}a_1\\a_2\\a_3\end{pmatrix}$，$\boldsymbol{v}_2=\begin{pmatrix}b_1\\b_2\\b_3\end{pmatrix}$，$\boldsymbol{v}_3=\begin{pmatrix}c_1\\c_2\\c_3\end{pmatrix}$ 线性无关，可推出方程组系数矩阵与增广矩阵有相同的秩，说明有解. 设方程组 $\begin{cases}a_1x+b_1y+c_1z=d_1\\a_2x+b_2y+c_2z=d_2\\a_3x+b_3y+c_3z=d_3\end{cases}$ 有两个不同的解，令 $\boldsymbol{d}=\begin{pmatrix}d_1\\d_2\\d_3\end{pmatrix}$，则有

$$\boldsymbol{v}_1x_1+\boldsymbol{v}_2y_1+\boldsymbol{v}_3z_1=\boldsymbol{d},\quad \boldsymbol{v}_1x_2+\boldsymbol{v}_2y_2+\boldsymbol{v}_3z_2=\boldsymbol{d}.$$

当 $\boldsymbol{v}_1(x_1-x_2)+\boldsymbol{v}_2(y_1-y_2)+\boldsymbol{v}_3(z_1-z_2)=\boldsymbol{0}$ 时，必有 $x_1-x_2=y_1-y_2=z_1-z_2=0$

（由向量组线性无关的性质得出结论），所以方程组只有唯一解.

解法二（左推右）：不妨设方程组$\begin{cases}a_1x+b_1y+c_1z=d_1\\a_2x+b_2y+c_2z=d_2\\a_3x+b_3y+c_3z=d_3\end{cases}$的唯一解为$\begin{pmatrix}x\\y\\z\end{pmatrix}$，向量$\boldsymbol{v}_1=\begin{pmatrix}a_1\\a_2\\a_3\end{pmatrix}$，$\boldsymbol{v}_2=\begin{pmatrix}b_1\\b_2\\b_3\end{pmatrix}$，$\boldsymbol{v}_3=\begin{pmatrix}c_1\\c_2\\c_3\end{pmatrix}$线性相关，则存在不全为零的常数$x_1,y_1,z_1$，使得$\boldsymbol{v}_1x_1+\boldsymbol{v}_2y_1+\boldsymbol{v}_3z_1=0$成立，则$\begin{pmatrix}x+x_1\\y+y_1\\z+z_1\end{pmatrix}$亦为$\begin{cases}a_1x+b_1y+c_1z=d_1\\a_2x+b_2y+c_2z=d_2\\a_3x+b_3y+c_3z=d_3\end{cases}$的解，与线性方程组有唯一解矛盾. 故原题得证.

三、常考点同步练习

例 7 已知向量$\boldsymbol{\beta}=(1,2,1,1)$，$\boldsymbol{\alpha}_1=(1,1,1,1)$，$\boldsymbol{\alpha}_2=(1,1,-1,-1)$，$\boldsymbol{\alpha}_3=(1,-1,1-1)$，$\boldsymbol{\alpha}_4=(1,-1,-1,1)$，用$\boldsymbol{\alpha}_1,\boldsymbol{\alpha}_2,\boldsymbol{\alpha}_3,\boldsymbol{\alpha}_4$的线性组合来表示$\boldsymbol{\beta}$.

解析 不妨记$\boldsymbol{\beta}=k_1\boldsymbol{\alpha}_1+k_2\boldsymbol{\alpha}_2+k_3\boldsymbol{\alpha}_3+k_4\boldsymbol{\alpha}_4$，由已知条件，可得线性方程组

$$\begin{cases}k_1+k_2+k_3+k_4=1\\k_1+k_2-k_3-k_4=2\\k_1-k_2+k_3-k_4=1\\k_1-k_2-k_3+k_4=1\end{cases},$$

解得

$$k_1=\frac{5}{4},\quad k_2=\frac{1}{4},\quad k_3=-\frac{1}{4},\quad k_4=-\frac{1}{4},$$

故

$$\boldsymbol{\beta}=\frac{5}{4}\boldsymbol{\alpha}_1+\frac{1}{4}\boldsymbol{\alpha}_2-\frac{1}{4}\boldsymbol{\alpha}_3-\frac{1}{4}\boldsymbol{\alpha}_4.$$

例 8 求齐次线性方程组$\begin{cases}x_1+x_2+2x_3-x_4=0\\2x_1+x_2+x_3-x_4=0\\2x_1+2x_2+x_3+2x_4=0\end{cases}$的通解及基础解系.

解析 不妨设齐次线性方程组的系数矩阵为$\boldsymbol{A}$，由

$$A=\begin{pmatrix}1&1&2&-1\\2&1&1&-1\\2&2&1&2\end{pmatrix}\to\begin{pmatrix}1&1&2&-1\\0&-1&-3&1\\0&1&0&3\end{pmatrix}\to\begin{pmatrix}1&0&-1&0\\0&1&3&-1\\0&0&-3&4\end{pmatrix}\to\begin{pmatrix}1&0&0&-\frac{4}{3}\\0&1&0&3\\0&0&1&-\frac{4}{3}\end{pmatrix},$$

得原方程等价于 $\begin{cases}x_1=\frac{4}{3}x_4\\x_2=-3x_4\\x_3=\frac{4}{3}x_4\end{cases}$.

令 $x_4=1$，可得基础解系 $\boldsymbol{\xi}=\left(\frac{4}{3},-3,\frac{4}{3},1\right)^{\mathrm{T}}$，故所求通解为 $\boldsymbol{x}=k\boldsymbol{\xi},k\in\mathbf{R}$.

例 9 设有线性方程组 $\begin{cases}x_1+3x_2+x_3=0\\3x_1+2x_2+3x_3=-1\\-x_1+4x_2+mx_3=k\end{cases}$，方程组分别为有唯一解、有无穷多解和无解时，$m,k$ 应当取什么值?

解析 线性方程组系数矩阵和增广矩阵分别为

$$A=\begin{pmatrix}1&3&1\\3&2&3\\-1&4&m\end{pmatrix},\quad \overline{A}=\left(\begin{array}{ccc:c}1&3&1&0\\3&2&3&-1\\-1&4&m&k\end{array}\right),$$

且

$$\overline{A}=\left(\begin{array}{ccc:c}1&3&1&0\\3&2&3&-1\\-1&4&m&k\end{array}\right)\to\left(\begin{array}{ccc:c}1&3&1&0\\0&-7&0&-1\\0&7&m+1&k\end{array}\right)\to\left(\begin{array}{ccc:c}1&3&1&0\\0&-7&0&-1\\0&0&m+1&k-1\end{array}\right),$$

所以当 $m\neq-1,k\neq1$ 时，$r(A)=r(\overline{A})=3$，方程组有唯一解；当 $m=-1,\ k\neq1$ 时，$r(A)\neq r(\overline{A})$，方程组无解；当 $m=-1,k=1$ 时，$r(A)=r(\overline{A})=2<3$，方程组有无穷多解.

例 10 假设向量 $\boldsymbol{\alpha}_1=(1,-1,2,4)$，$\boldsymbol{\alpha}_2=(0,3,1,2)$，$\boldsymbol{\alpha}_3=(3,0,7,14)$，$\boldsymbol{\alpha}_4=(1,-1,2,0)$，$\boldsymbol{\alpha}_5=(2,1,5,6)$.

（1）证明向量组 $\boldsymbol{\alpha}_1,\boldsymbol{\alpha}_2$ 线性无关；

（2）将 $\boldsymbol{\alpha}_1,\boldsymbol{\alpha}_2$ 扩充成一个极大线性无关组.

解析　（1）由 $\boldsymbol{\alpha}_1,\boldsymbol{\alpha}_2$ 的对应元素不成比例知 $\boldsymbol{\alpha}_1,\boldsymbol{\alpha}_2$ 线性无关.

（2）对向量组 $\boldsymbol{\alpha}_1,\boldsymbol{\alpha}_2,\boldsymbol{\alpha}_3,\boldsymbol{\alpha}_4,\boldsymbol{\alpha}_5$ 的转置组成的矩阵作初等行变换：

$$\left(\boldsymbol{\alpha}_1^{\mathrm{T}},\boldsymbol{\alpha}_2^{\mathrm{T}},\boldsymbol{\alpha}_3^{\mathrm{T}},\boldsymbol{\alpha}_4^{\mathrm{T}},\boldsymbol{\alpha}_5^{\mathrm{T}}\right)=\begin{pmatrix}1&0&3&1&2\\-1&3&0&-1&1\\2&1&7&2&5\\4&2&14&0&6\end{pmatrix}\to\begin{pmatrix}1&0&3&1&2\\0&3&3&0&3\\0&1&1&0&1\\0&2&2&-4&-2\end{pmatrix}\to$$

$$\begin{pmatrix}1&0&3&1&2\\0&1&1&0&1\\0&0&0&-4&-4\\0&0&0&0&0\end{pmatrix}\to\begin{pmatrix}1&0&3&0&1\\0&1&1&0&1\\0&0&0&1&1\\0&0&0&0&0\end{pmatrix},$$

可知 $\boldsymbol{\alpha}_3=3\boldsymbol{\alpha}_1+\boldsymbol{\alpha}_2+0\boldsymbol{\alpha}_4$， $\boldsymbol{\alpha}_5=\boldsymbol{\alpha}_1+\boldsymbol{\alpha}_2+\boldsymbol{\alpha}_4$，所以 $\boldsymbol{\alpha}_1,\boldsymbol{\alpha}_2,\boldsymbol{\alpha}_4$ 为原向量组的一个极大线性无关组.

核心考点四　矩阵

一、重要知识点

定义 1　若 n 阶方阵 $\boldsymbol{A}$ 和 n 阶方阵 $\boldsymbol{B}$ 满足

$$\boldsymbol{AB}=\boldsymbol{BA}=\boldsymbol{E}\ , \tag{2.4}$$

则称矩阵 $\boldsymbol{A}$ 是可逆的（ $\boldsymbol{E}$ 为 n 阶单位矩阵）.

定义 2　若矩阵 $\boldsymbol{B}$ 也满足式（2.4），则称 $\boldsymbol{B}$ 为 $\boldsymbol{A}$ 的逆矩阵，记作 $\boldsymbol{A}^{-1}$.

定义 3　不妨设 A_{ij} 是矩阵 $\boldsymbol{A}=\begin{pmatrix}a_{11}&a_{12}&\cdots&a_{1n}\\a_{21}&a_{22}&\cdots&a_{2n}\\\vdots&\vdots&&\vdots\\a_{n1}&a_{n2}&\cdots&a_{nn}\end{pmatrix}$ 中 a_{ij} 的代数余子式，

则称矩阵 $\boldsymbol{A}^*=\begin{pmatrix}A_{11}&A_{21}&\cdots&A_{n1}\\A_{12}&A_{22}&\cdots&A_{n2}\\\vdots&\vdots&&\vdots\\A_{1n}&A_{2n}&\cdots&A_{nn}\end{pmatrix}$ 为 $\boldsymbol{A}$ 的伴随矩阵.

定理 1 矩阵 $\boldsymbol{A}$ 可逆与 $\boldsymbol{A}$ 非退化互为充要条件，其中 $\boldsymbol{A}^{-1}=\frac{1}{d}\boldsymbol{A}^{*}$ $(d=|\boldsymbol{A}|\neq 0)$.

求逆矩阵可利用如下几种方法：

（1）利用伴随矩阵 $\boldsymbol{A}^{-1}=\frac{\boldsymbol{A}^{*}}{|\boldsymbol{A}|}$.

（2）利用初等行变换 $[\boldsymbol{A}\vdots\boldsymbol{E}]\to[\boldsymbol{E}\vdots\boldsymbol{A}^{-1}]$.

（3）利用初等列变换 $\begin{bmatrix}\boldsymbol{A}\\ \boldsymbol{E}\end{bmatrix}\to\begin{bmatrix}\boldsymbol{E}\\ \boldsymbol{A}^{-1}\end{bmatrix}$.

二、真题解析

例 1 （2018 年上初、高级中学）在什么条件下，矩阵 $\begin{pmatrix}a & b\\ c & d\end{pmatrix}$ 存在逆矩阵，并求出其逆矩阵.

解析 本题考查逆矩阵的求法，可用伴随矩阵来求解逆矩阵.

不妨设 $\boldsymbol{A}$ 是可逆的，则有 $\boldsymbol{A}^{-1}=\frac{\boldsymbol{A}^{*}}{|\boldsymbol{A}|}$（$|\boldsymbol{A}|\neq 0$），由 $|\boldsymbol{A}|=\begin{vmatrix}a & b\\ c & d\end{vmatrix}=ad-bc\neq 0$，可得 $\boldsymbol{A}^{-1}=\frac{\boldsymbol{A}^{*}}{|\boldsymbol{A}|}=\frac{1}{ad-bc}\begin{pmatrix}d & -b\\ -c & a\end{pmatrix}$ 即为所求逆矩阵，前提为 $ad-bc\neq 0$.

例 2 （2019 年上初、高级中学）设 $\boldsymbol{A}$ 为 n 阶方阵，$\boldsymbol{B}$ 是 $\boldsymbol{A}$ 经过若干次初等行变换得到的矩阵，则下列结论正确的是（　　）.

A. $|\boldsymbol{A}|=|\boldsymbol{B}|$　　B. $|\boldsymbol{A}|\neq|\boldsymbol{B}|$

C. 若 $|\boldsymbol{A}|=0$，则一定有 $|\boldsymbol{B}|=0$　　D. 若 $|\boldsymbol{A}|>0$，则一定有 $|\boldsymbol{B}|>0$

答案为 C.

解析 本题考查矩阵的初等行变换和行列式的性质.

矩阵 $\boldsymbol{B}$ 是矩阵 $\boldsymbol{A}$ 经过若干次初等行变换得到的矩阵，矩阵的初等行变换可为以下几种情形：

（1）如果交换矩阵 $\boldsymbol{A}$ 中的两行得到矩阵 $\boldsymbol{B}$，那么 $|\boldsymbol{B}|=-|\boldsymbol{A}|$，则 $|\boldsymbol{A}|=0$ 时一定有 $|\boldsymbol{B}|=0$.

（2）如果矩阵 $\boldsymbol{A}$ 中的某行乘一个非零常数 k 得到矩阵 $\boldsymbol{B}$，那么

$|\boldsymbol{B}| = k|\boldsymbol{A}|$，则 $|\boldsymbol{A}| = 0$ 时一定有 $|\boldsymbol{B}| = 0$.

（3）如果矩阵 $\boldsymbol{A}$ 中的某行乘一个常数 k 加到另一行得到矩阵 $\boldsymbol{B}$，那么 $|\boldsymbol{B}| = |\boldsymbol{A}|$，则 $|\boldsymbol{A}| = 0$ 时一定有 $|\boldsymbol{B}| = 0$.

综上可知，$|\boldsymbol{A}| = 0$ 时一定有 $|\boldsymbol{B}| = 0$，故本题选 C.

三、常考点同步练习

例 3 记 $\boldsymbol{A} = \begin{pmatrix} 2 & 1 \\ -3 & -2 \end{pmatrix}$，求 $\boldsymbol{A}^{-1} = $（　　）.

A. $\begin{pmatrix} -2 & -3 \\ 1 & 2 \end{pmatrix}$　　B. $\begin{pmatrix} -2 & -1 \\ 3 & 2 \end{pmatrix}$

C. $\begin{pmatrix} 2 & 1 \\ -3 & -2 \end{pmatrix}$　　D. $\begin{pmatrix} -2 & 3 \\ -1 & 2 \end{pmatrix}$

答案为 C.

解析 因为

$$[\boldsymbol{A} \vdots \boldsymbol{E}] \to \begin{pmatrix} 2 & 1 & \vdots & 1 & 0 \\ -3 & -2 & \vdots & 0 & 1 \end{pmatrix} \to \begin{pmatrix} 2 & 1 & \vdots & 1 & 0 \\ -1 & -1 & \vdots & 1 & 1 \end{pmatrix} \to \begin{pmatrix} 1 & 0 & \vdots & 2 & 1 \\ -1 & -1 & \vdots & 1 & 1 \end{pmatrix} \to$$

$$\begin{pmatrix} 1 & 0 & \vdots & 2 & 1 \\ 0 & -1 & \vdots & 3 & 2 \end{pmatrix} \to \begin{pmatrix} 1 & 0 & \vdots & 2 & 1 \\ 0 & 1 & \vdots & -3 & -2 \end{pmatrix} = [\boldsymbol{E} \vdots \boldsymbol{A}^{-1}],$$

则有

$$\boldsymbol{A}^{-1} = \begin{pmatrix} 2 & 1 \\ -3 & -2 \end{pmatrix}.$$

例 4 设矩阵 $\boldsymbol{A} = \begin{pmatrix} 3 & 1 & 1 \\ 2 & 1 & 2 \\ 1 & 2 & 3 \end{pmatrix}$，$\boldsymbol{B} = \begin{pmatrix} 1 & 1 & -1 \\ 2 & -1 & 0 \\ 1 & 0 & 1 \end{pmatrix}$，分别计算 $\boldsymbol{AB}$，$\boldsymbol{AB} - \boldsymbol{BA}$.

解析

$$\boldsymbol{AB} = \begin{pmatrix} 3 & 1 & 1 \\ 2 & 1 & 2 \\ 1 & 2 & 3 \end{pmatrix}\begin{pmatrix} 1 & 1 & -1 \\ 2 & -1 & 0 \\ 1 & 0 & 1 \end{pmatrix} = \begin{pmatrix} 6 & 2 & -2 \\ 6 & 1 & 0 \\ 8 & -1 & 2 \end{pmatrix},$$

$$\boldsymbol{BA} = \begin{pmatrix} 1 & 1 & -1 \\ 2 & -1 & 0 \\ 1 & 0 & 1 \end{pmatrix}\begin{pmatrix} 3 & 1 & 1 \\ 2 & 1 & 2 \\ 1 & 2 & 3 \end{pmatrix} = \begin{pmatrix} 4 & 0 & 0 \\ 4 & 1 & 0 \\ 4 & 3 & 4 \end{pmatrix},$$

$$AB-BA=\begin{pmatrix}6&2&-2\\6&1&0\\8&-1&2\end{pmatrix}-\begin{pmatrix}4&0&0\\4&1&0\\4&3&4\end{pmatrix}=\begin{pmatrix}2&2&-2\\2&0&0\\4&-4&-2\end{pmatrix}.$$

例 5 设矩阵 $M=\begin{pmatrix}1&a\\b&1\end{pmatrix}$，$N=\begin{pmatrix}c&2\\0&d\end{pmatrix}$，且 $MN=\begin{pmatrix}2&0\\-2&0\end{pmatrix}$，分别求 a,b,c,d 的值.

解析 因为

$$MN=\begin{pmatrix}1&a\\b&1\end{pmatrix}\begin{pmatrix}c&2\\0&d\end{pmatrix}=\begin{pmatrix}c+0&2+ad\\bc+0&2b+d\end{pmatrix}=\begin{pmatrix}2&0\\-2&0\end{pmatrix},$$

则有

$$\begin{cases}c+0=2\\bc+0=-2\\2+ad=0\\2b+d=0\end{cases}，解得\begin{cases}a=-1\\b=-1\\c=2\\d=2\end{cases}.$$

核心考点五　二次型

一、重要知识点

定义 1 若对任意不全为零的实数 $c_1,c_2,\cdots,c_n$ 都有 $f(c_1,c_2,\cdots,c_n)>0$，则称实二次型 $f(x_1,x_2,\cdots,x_n)$ 为正定二次型.

定理 1 对于 n 元实二次型 $f(x_1,x_2,\cdots,x_n)$，它的正惯性指数等于 n 与它是正定的互为充要条件.

定义 2 若二次型 $X^{\mathrm{T}}AX$ 是正定的，则可推出实对称矩阵 A 为正定矩阵（正定矩阵的行列式大于零）.

定义 3 矩阵 $A=(a_{ij})_{nn}$ 的顺序主子式记为

$$S_i=\begin{vmatrix}a_{11}&a_{12}&\cdots&a_{1i}\\a_{21}&a_{22}&\cdots&a_{2i}\\\vdots&\vdots&&\vdots\\a_{i1}&a_{i2}&\cdots&a_{ii}\end{vmatrix}\quad(i=1,2,\cdots,n).$$

定理 2 实二次型 $f(x_1,x_2,\cdots,x_n)=\sum_{i=1}^{n}\sum_{j=1}^{n}a_{ij}x_ix_j=\boldsymbol{X}^{\mathrm{T}}\boldsymbol{AX}$ 是正定的与矩阵 $\boldsymbol{A}$ 的顺序主子式全大于零互为充要条件.

注意：实二次型 $f(x_1,x_2,\cdots,x_n)=\boldsymbol{X}^{\mathrm{T}}\boldsymbol{AX}$ 正定 $\Leftrightarrow$ f 的正惯性指数为 n $\Leftrightarrow$ 矩阵 $\boldsymbol{A}$ 正定 $\Leftrightarrow$ $\boldsymbol{A}$ 的顺序主子式全大于零 $\Leftrightarrow$ $\boldsymbol{A}$ 的特征值全大于零.

定义 4 不妨设 $f(x_1,x_2,\cdots,x_n)$ 为实二次型，对任意不全为零的实数 $c_1,c_2,\cdots,c_n$，若 $f(c_1,c_2,\cdots,c_n)<0$，则称 $f(x_1,x_2,\cdots,x_n)$ 为负定的；若 $f(c_1,c_2,\cdots,c_n)\geqslant 0$，则称 $f(x_1,x_2,\cdots,x_n)$ 为半正定的；若 $f(c_1,c_2,\cdots,c_n)\leqslant 0$，则称 $f(x_1,x_2,\cdots,x_n)$ 为半负定的；既不是半正定又不是半负定，即 $f(x_1,x_2,\cdots,x_n)$ 为不定的.

二、真题解析

例 1 （2017 年下高级中学）下列多项式为正定二次型的是（ ）.

A. $x_1^2+x_2^2-x_3^2$　　B. $x_1^2+2x_1x_2-x_2x_3+5x_2^2+x_3^2$

C. $3x_1x_2+x_2^2-x_3^2$　　D. $3x_1x_2+2x_2x_3-4x_1x_3$

答案为 B.

解析 本题考查二次型是否正定的判定方法，实二次型 $f(x_1,x_2,\cdots,x_n)=\boldsymbol{X}^{\mathrm{T}}\boldsymbol{AX}$ 正定 $\Leftrightarrow$ $\boldsymbol{A}$ 的顺序主子式全大于零.

二次型 $x_1^2+x_2^2-x_3^2$ 所对应的矩阵为 $\begin{pmatrix}1&0&0\\0&1&0\\0&0&-1\end{pmatrix}$，其一阶顺序主子式 $1>0$，二阶顺序主子式 $\begin{vmatrix}1&0\\0&1\end{vmatrix}=1>0$，三阶顺序主子式 $\begin{vmatrix}1&0&0\\0&1&0\\0&0&-1\end{vmatrix}=-1<0$，所以 A 选项错；

二次型 $x_1^2+2x_1x_2-x_2x_3+5x_2^2+x_3^2$ 对应的矩阵为 $\begin{pmatrix}1&1&0\\1&5&-\frac{1}{2}\\0&-\frac{1}{2}&1\end{pmatrix}$，其一阶

顺序主子式 $1>0$，二阶顺序主子式 $\begin{vmatrix}1 & 1\\1 & 5\end{vmatrix}=5-1=4>0$，三阶顺序主子式

$$\begin{vmatrix}1 & 1 & 0\\1 & 5 & -\frac{1}{2}\\0 & -\frac{1}{2} & 1\end{vmatrix}=\frac{15}{4}>0$$，所以 B 选项是正定的. 同理可验证 C，D 选项错误.

例 2 （2016 年上高级中学）二次型 $x^2-3xy+y^2$ 是（　　）.

A. 正定的　　　　B. 负定的

C. 不定的　　　　D. 以上都不是

答案为 C.

解析 记 $f(x)=x^2-3xy+y^2$，将原式化为 $f(x)=\boldsymbol{X}^{\mathrm{T}}\boldsymbol{A}\boldsymbol{X}$，通过矩阵 $\boldsymbol{A}$ 的顺序主子式即可判断.

因为 $x^2-3xy+y^2=(x\quad y)\begin{pmatrix}1 & -\frac{3}{2}\\-\frac{3}{2} & 1\end{pmatrix}\begin{pmatrix}x\\y\end{pmatrix}$，则 $\boldsymbol{A}=\begin{pmatrix}1 & -\frac{3}{2}\\-\frac{3}{2} & 1\end{pmatrix}$，其一阶顺序主子式 $1>0$，二阶顺序主子式 $\begin{vmatrix}1 & -\frac{3}{2}\\-\frac{3}{2} & 1\end{vmatrix}=-\frac{5}{4}<0$，故 $f(x)=x^2-3xy+y^2$ 是不定的.

三、常考点同步练习

例 3 判断下列二次型是否正定.

$$f(x)=10{x_1}^2+8x_1x_2+24x_1x_3+2{x_2}^2-28x_2x_3+x_3^2$$

解析 可通过“实二次型 $f(x_1,x_2,\cdots,x_n)=\boldsymbol{X}^{\mathrm{T}}\boldsymbol{A}\boldsymbol{X}$ 是正定的 $\Leftrightarrow$ $\boldsymbol{A}$ 的顺序主子式全大于零”来判定其是否正定.

记 $f(x_1,x_2,\cdots,x_n)=\boldsymbol{X}^{\mathrm{T}}\boldsymbol{A}\boldsymbol{X}$，则 $\boldsymbol{A}=\begin{pmatrix}10 & 4 & 12\\4 & 2 & -14\\12 & -14 & 1\end{pmatrix}$，其一阶顺序主子式

$|10|=10>0$，二阶顺序主子式 $\begin{vmatrix}10 & 4\\ 4 & 2\end{vmatrix}=4>0$，三阶顺序主子式

$\begin{vmatrix}10 & 4 & 12\\ 4 & 2 & -14\\ 12 & -14 & 1\end{vmatrix}=\begin{vmatrix}2 & 0 & 40\\ 0 & 2 & -94\\ 0 & -20 & 43\end{vmatrix}=\begin{vmatrix}2 & 0 & 40\\ 0 & 2 & -94\\ 0 & 0 & -897\end{vmatrix}=-3\,588<0$，所以该二次型不是正定的.

例 4 已知二次型 $f(x)=x_1^2+x_2^2+5x_3^2+2tx_1x_2-2x_1x_3+4x_2x_3$ 是正定的，求 t 值.

解析 已知二次型是正定的，记 $f(x_1,x_2,\cdots,x_n)=\boldsymbol{X}^{\mathrm{T}}\boldsymbol{A}\boldsymbol{X}$，则 $\boldsymbol{A}=\begin{pmatrix}1 & t & -1\\ t & 1 & 2\\ -1 & 2 & 5\end{pmatrix}$，它的顺序主子式分别为

$$|1|=1>0,\quad \begin{vmatrix}1 & t\\ t & 1\end{vmatrix}=1-t^2>0,$$

$$\begin{vmatrix}1 & t & -1\\ t & 1 & 2\\ -1 & 2 & 5\end{vmatrix}=\begin{vmatrix}1 & t & -1\\ 0 & 1-t^2 & 2+t\\ 0 & 2+t & 4\end{vmatrix}=\begin{vmatrix}1-t^2 & 2+t\\ 2+t & 4\end{vmatrix}=4(1-t^2)-(2+t)^2>0,$$

所以由 $\begin{cases}1-t^2>0\\ 4(1-t^2)-(2+t)^2>0\end{cases}$，解得 $-\dfrac{4}{5}<t<0$.

核心考点六 线性空间

一、重要知识点

定义 1 若线性空间 V 中极大线性无关组所含向量的个数为 n，则称 V 是 n 维线性空间，若 n 是一个无限数，则称 V 为无限维的.

定义 2 n 维线性空间 V 中，$\boldsymbol{\varepsilon}_1,\boldsymbol{\varepsilon}_2,\cdots,\boldsymbol{\varepsilon}_n$ 为 V 的 n 个线性无关的向量，若加上 V 中任意一向量 $\boldsymbol{\alpha}$，都有 $\boldsymbol{\varepsilon}_1,\boldsymbol{\varepsilon}_2,\cdots,\boldsymbol{\varepsilon}_n,\boldsymbol{\alpha}$ 线性相关，则称 $\boldsymbol{\varepsilon}_1,\boldsymbol{\varepsilon}_2,\cdots,\boldsymbol{\varepsilon}_n$ 为 V 的一组基，且 $\boldsymbol{\alpha}$ 可以用 $\boldsymbol{\varepsilon}_1,\boldsymbol{\varepsilon}_2,\cdots,\boldsymbol{\varepsilon}_n$ 线性表出，即

$$\boldsymbol{\alpha}=a_1\boldsymbol{\varepsilon}_1+a_2\boldsymbol{\varepsilon}_2+\cdots+a_n\boldsymbol{\varepsilon}_n\ ,$$

其中 $a_1,a_2,\cdots,a_n$ 为常数，是 $\boldsymbol{\alpha}$ 在基 $\boldsymbol{\varepsilon}_1,\boldsymbol{\varepsilon}_2,\cdots,\boldsymbol{\varepsilon}_n$ 下的坐标，记作 $(a_1,a_2,\cdots,a_n)$.

定理 1 若 $\boldsymbol{\alpha}_1,\boldsymbol{\alpha}_2,\cdots,\boldsymbol{\alpha}_n$ 为线性空间 V 的 n 个线性无关的向量，且 V 中的任一向量都可用其线性表出，则称 $\boldsymbol{\alpha}_1,\boldsymbol{\alpha}_2,\cdots,\boldsymbol{\alpha}_n$ 为 V 的一组基，V 是 n 维线性空间.

二、真题解析

例 1 （2018 年下高级中学）设 $f(x)=a\cos x+b\sin x$ 是 $\mathbf{R}$ 到 $\mathbf{R}$ 的函数，$V=\{f(x)|\,f(x)=a\cos x+b\sin x,a,b\in\mathbf{R}\}$ 是线性空间，则 V 的维数是（　　）.

A. 1　　B. 2　　C. 3　　D. ∞

答案为 B.

解析 本题考查线性空间维数的计算.

由 $f(x)=a\cos x+b\sin x$ 知，V 中每一个元素均可用 $\cos x,\sin x$ 线性表出，即 $\cos x,\sin x$ 线性无关. 若有实数 m,n 使得 $m\cos x+n\sin x=0$ 成立 $(x\in\mathbf{R})$，则 $m=n=0$，所以 $\cos x,\sin x$ 为 V 的一组基，故其维数是 2 .

例 2 （2018 年上初、高级中学）设 $a\cos x+b\sin x$ 是 $\mathbf{R}$ 到 $\mathbf{R}$ 的函数，$V=\left\{a\cos x+b\sin x|a,b\in\mathbf{R}\right\}$ 是函数集合. 对 $f\in V$，令 $Df(x)=f'(x)$，即 D 将一个函数变成它的导函数. 证明 D 是 V 到 V 上既单又满的映射.

解析 本题考查集合和映射知识点.

（1）单射.

记 $f_1(x)=a_1\cos x+b_1\sin x\in V$, $f_2(x)=a_2\cos x+b_2\sin x\in V$.

若 $f_1(x)\neq f_2(x)$，则

$$\begin{aligned}f_1(x)-f_2(x)&=(a_1-a_2)\cos x+(b_1-b_2)\sin x\\&=\sqrt{(a_1-a_2)^2+(b_1-b_2)^2}\sin(x-\varphi)\neq 0,\ \ x\in\mathbf{R},\end{aligned}$$

故 $a_1=a_2$ 与 $b_1=b_2$ 不同时成立.

不妨设 $Df_1(x)=-a_1\sin x+b_1\cos x=-a_2\sin x+b_2\cos x=Df_2(x)$ 对任意 $x\in\mathbf{R}$ 都成立. 当 $x=0$ 时，有 $b_1=b_2$；当 $x=\dfrac{\pi}{2}$ 时，有 $a_1=a_2$，这与“$f_1(x)\neq f_2(x)$ 时 $a_1=a_2$ 和 $b_1=b_2$ 不能同时成立”矛盾. 所以，$Df_1(x)=-a_1\sin x+b_1\cos x$ 与

$Df_2(x)=-a_2\sin x+b_2\cos x$不等，即$Df_1(x)\neq Df_2(x)$，故$D$是$V$到$V$上的单射，得证.

（2）满射.

因为对任意$g(x)=a\cos x+b\sin x\in V$，都有

$$\int g(x)\mathrm{d}x=\int(a\cos x+b\sin x)\,\mathrm{d}x=a\sin x-b\cos x+c,$$

所以存在$f(x)=a\sin x-b\cos x\in V$，使得$Df(x)=f'(x)=g(x)$，故$D$是$V$到$V$上的满射，得证.

例 3 （2017年下初、高级中学）在线性空间$\mathbf{R}^3$中，已知向量$\boldsymbol{\alpha}_1=(1,2,1)$，$\boldsymbol{\alpha}_2=(2,1,4)$，$\boldsymbol{\alpha}_3=(0,-3,2)$，记$V_1=\{\lambda\boldsymbol{\alpha}_1+\mu\boldsymbol{\alpha}_2\,|\,\lambda,\mu\in\mathbf{R}\}$，$V_2=\{k\boldsymbol{\alpha}_3\,|\,k\in\mathbf{R}\}$. 令$V_3=\left\{t_1\boldsymbol{\eta}_1+t_2\boldsymbol{\eta}_2\,|\,t_1,t_2\in\mathbf{R},\boldsymbol{\eta}_1\in V_1,\boldsymbol{\eta}_2\in V_2\right\}$，

（1）求子空间V_3的维数；

（2）求子空间V_3的一组标准正交基.

解析 本题考查标准正交基的求法.

（1）由$V_3=\left\{t_1\boldsymbol{\eta}_1+t_2\boldsymbol{\eta}_2\,|\,t_1,t_2\in\mathbf{R},\boldsymbol{\eta}_1\in V_1,\boldsymbol{\eta}_2\in V_2\right\}$可得

$$\begin{pmatrix}\boldsymbol{\alpha}_1\\ \boldsymbol{\alpha}_2\\ \boldsymbol{\alpha}_3\end{pmatrix}=\begin{pmatrix}1&2&1\\2&1&4\\0&-3&2\end{pmatrix}\to\begin{pmatrix}1&2&1\\0&-3&2\\0&-3&2\end{pmatrix}\to\begin{pmatrix}1&2&1\\0&-3&2\\0&0&0\end{pmatrix}$$

故$\boldsymbol{\alpha}_1,\boldsymbol{\alpha}_2$是线性无关的，且$\dim(V_3)=2$.

（2）由第（1）小题知$\boldsymbol{\alpha}_1,\boldsymbol{\alpha}_2$为$V_3$的一组基，对$\boldsymbol{\alpha}_1,\boldsymbol{\alpha}_2$进行施密特正交化得$\boldsymbol{\beta}_1=\boldsymbol{\alpha}_1=(1,2,1)$，$\boldsymbol{\beta}_2=\boldsymbol{\alpha}_2-\dfrac{(\boldsymbol{\alpha}_2,\boldsymbol{\beta}_1)}{(\boldsymbol{\beta}_1,\boldsymbol{\beta}_1)}\boldsymbol{\beta}_1=\left(\dfrac{2}{3},-\dfrac{5}{3},\dfrac{8}{3}\right)$，对$\boldsymbol{\beta}_1,\boldsymbol{\beta}_2$进行单位化得$\boldsymbol{\gamma}_1=\dfrac{1}{\sqrt{6}}(1,2,1)$，$\boldsymbol{\gamma}_2=\dfrac{1}{\sqrt{93}}(2,-5,8)$，即为$V_3$的一组标准正交基.

三、常考点同步练习

例 4 记$\boldsymbol{\alpha}_1=(1,1,0)$，$\boldsymbol{\alpha}_2=(1,0,1)$，$\boldsymbol{\alpha}_3=(0,1,1)$为$\mathbf{R}^3$的一组基，故向量$\boldsymbol{\beta}=(2,0,0)$在此基下的坐标为（　　）.

A. $(2,0,0)$　　B. $(1,1,-1)$　　C. $(1,0,-1)$　　D. $(0,0,0)$

答案为 B.

解析 不妨设 $\boldsymbol{\beta}=(2,0,0)$ 在此基下的坐标为 (x_1,x_2,x_3)，则有

$$\boldsymbol{\beta}^{\mathrm{T}}=x_1\boldsymbol{\alpha}_1^{\mathrm{T}}+x_2\boldsymbol{\alpha}_2^{\mathrm{T}}+x_3\boldsymbol{\alpha}_3^{\mathrm{T}}=(\boldsymbol{\alpha}_1^{\mathrm{T}},\boldsymbol{\alpha}_2^{\mathrm{T}},\boldsymbol{\alpha}_3^{\mathrm{T}})\begin{pmatrix}x_1\\x_2\\x_3\end{pmatrix},$$

对 $(\boldsymbol{\alpha}_1^{\mathrm{T}},\boldsymbol{\alpha}_2^{\mathrm{T}},\boldsymbol{\alpha}_3^{\mathrm{T}})$ 作初等行变换：

$$\left(\begin{array}{ccc:c}1&1&0&2\\1&0&1&0\\0&1&1&0\end{array}\right)\to\left(\begin{array}{ccc:c}1&0&0&1\\0&1&0&1\\0&0&1&-1\end{array}\right),$$

所以非齐次线性方程组的解为 $x_1=1,x_2=1,x_3=-1$，上式即为 $\boldsymbol{\beta}=(2,0,0)$ 在 $(\boldsymbol{\alpha}_1,\boldsymbol{\alpha}_2,\boldsymbol{\alpha}_3)$ 下的坐标.

例 5 记 $\boldsymbol{\alpha}_1,\boldsymbol{\alpha}_2,\boldsymbol{\alpha}_3$ 是 $\mathbf{R}^3$ 的一组基，且 $\boldsymbol{\beta}_1=2\boldsymbol{\alpha}_1+2k\boldsymbol{\alpha}_3$，$\boldsymbol{\beta}_2=2\boldsymbol{\alpha}_2$，$\boldsymbol{\beta}_3=\boldsymbol{\alpha}_1+(k+1)\boldsymbol{\alpha}_3$，

（1）证明 $\boldsymbol{\beta}_1,\boldsymbol{\beta}_2,\boldsymbol{\beta}_3$ 亦为 $\mathbf{R}^3$ 的一组基；

（2）若存在非零向量 $\boldsymbol{\xi}$，使得其在基 $\boldsymbol{\alpha}_1,\boldsymbol{\alpha}_2,\boldsymbol{\alpha}_3$ 与基 $\boldsymbol{\beta}_1,\boldsymbol{\beta}_2,\boldsymbol{\beta}_3$ 下有相同的坐标，请求出 k 值.

解析 （1）由 $\boldsymbol{\beta}_1=2\boldsymbol{\alpha}_1+2k\boldsymbol{\alpha}_3$，$\boldsymbol{\beta}_2=2\boldsymbol{\alpha}_2$，$\boldsymbol{\beta}_3=\boldsymbol{\alpha}_1+(k+1)\boldsymbol{\alpha}_3$ 得

$$(\boldsymbol{\beta}_1,\boldsymbol{\beta}_2,\boldsymbol{\beta}_3)=(2\boldsymbol{\alpha}_1+2k\boldsymbol{\alpha}_3,2\boldsymbol{\alpha}_2,\boldsymbol{\alpha}_1+(k+1)\boldsymbol{\alpha}_3)=(\boldsymbol{\alpha}_1,\boldsymbol{\alpha}_2,\boldsymbol{\alpha}_3)\begin{pmatrix}2&0&1\\0&2&0\\2k&0&k+1\end{pmatrix},$$

又

$$\begin{vmatrix}2&0&1\\0&2&0\\2k&0&k+1\end{vmatrix}=2\begin{vmatrix}2&1\\2k&k+1\end{vmatrix}=4\neq 0,$$

所以 $\boldsymbol{\beta}_1,\boldsymbol{\beta}_2,\boldsymbol{\beta}_3$ 为 $\mathbf{R}^3$ 的一组基.

（2）因为 $\boldsymbol{\xi}$ 在基 $\boldsymbol{\alpha}_1,\boldsymbol{\alpha}_2,\boldsymbol{\alpha}_3$ 与基 $\boldsymbol{\beta}_1,\boldsymbol{\beta}_2,\boldsymbol{\beta}_3$ 下具有相同坐标，不妨设这一坐标为 a_1,a_2,a_3，则有 $\boldsymbol{\xi}=a_1\boldsymbol{\beta}_1+a_2\boldsymbol{\beta}_2+a_3\boldsymbol{\beta}_3=a_1\boldsymbol{\alpha}_1+a_2\boldsymbol{\alpha}_2+a_3\boldsymbol{\alpha}_3,\boldsymbol{\xi}\neq\mathbf{0}$ 成立，整理得

$$a_1(\boldsymbol{\beta}_1-\boldsymbol{\alpha}_1)+a_2(\boldsymbol{\beta}_2-\boldsymbol{\alpha}_2)+a_3(\boldsymbol{\beta}_3-\boldsymbol{\alpha}_3)=\mathbf{0}$$

$$a_1(2\boldsymbol{\alpha}_1+2k\boldsymbol{\alpha}_3-\boldsymbol{\alpha}_1)+a_2(2\boldsymbol{\alpha}_2-\boldsymbol{\alpha}_2)+a_3[\boldsymbol{\alpha}_1+(k+1)\boldsymbol{\alpha}_3-\boldsymbol{\alpha}_3]=\mathbf{0}\ ,$$

故有

$$(a_1+a_3)\boldsymbol{\alpha}_1+a_2\boldsymbol{\alpha}_2+(2ka_1+ka_3)\boldsymbol{\alpha}_3=\mathbf{0}\ ,$$

由 $\boldsymbol{\alpha}_1,\boldsymbol{\alpha}_2,\boldsymbol{\alpha}_3$ 为 $\mathbf{R}^3$ 的一组基，可推出 $\begin{cases} a_1+a_3=0 \\ a_2=0 \\ 2ka_1+ka_3=0 \end{cases}$ 有解，即 $\begin{vmatrix} 1 & 0 & 1 \\ 0 & 1 & 0 \\ 2k & 0 & k \end{vmatrix}=0$，得 $k=0$.

核心考点七　线性变换

一、重要知识点

定义 1　若线性空间 V 的一个变换 $\mathscr{A}$ 满足：

$$\mathscr{A}(\boldsymbol{\alpha}+\boldsymbol{\beta})=\mathscr{A}(\boldsymbol{\alpha})+\mathscr{A}(\boldsymbol{\beta})\ ,$$

$$\mathscr{A}(k\boldsymbol{\alpha})=k\mathscr{A}(\boldsymbol{\alpha})\quad \boldsymbol{\alpha},\boldsymbol{\beta}\in V,k\in P\ ,$$

则称 $\mathscr{A}$ 为线性空间 V 的一个变线性变换.

定义 2　设 $\mathscr{A}$ 为线性空间 V 的一个线性变换，若对于任意的 $\lambda_0\in P$，都存在一个非零的向量 $\boldsymbol{\xi}$，使得

$$\mathscr{A}\ \boldsymbol{\xi}=\lambda_0\boldsymbol{\xi}\ ,$$

则称 λ_0 为 $\mathscr{A}$ 的一个特征值，$\boldsymbol{\xi}$ 为属于特征值 λ_0 的特征向量.

定义 3　记 $\boldsymbol{A}$ 为数域 P 上的 n 阶矩阵，λ 是 $\boldsymbol{A}$ 的一个特征向量，则称

$$|\lambda\boldsymbol{E}-\boldsymbol{A}|=\begin{vmatrix} \lambda-a_{11} & -a_{12} & \cdots & -a_{1n} \\ -a_{21} & \lambda-a_{22} & \cdots & -a_{2n} \\ \vdots & \vdots & & \vdots \\ -a_{n1} & -a_{n2} & \cdots & \lambda-a_{nn} \end{vmatrix}$$

为 $\boldsymbol{A}$ 的特征多项式.

求线性变换 $\mathscr{A}$ 下的特征值与对应特征向量，可按照以下步骤：

（1）在 V 中取一组基 $\boldsymbol{\varepsilon}_1,\boldsymbol{\varepsilon}_2,\cdots,\boldsymbol{\varepsilon}_n$，找出 $\mathscr{A}$ 在这组基下的矩阵 $\boldsymbol{A}$.

（2）求特征多项式 $|\lambda\boldsymbol{E}-\boldsymbol{A}|=0$ 的全部根，即为线性变换 $\mathscr{A}$ 的全部特征值.

（3）把所有特征值依次代入方程组

$$\begin{cases}(\lambda-a_{11})x_1-a_{12}x_2-\cdots-a_{1n}x_n=0\\ -a_{21}x_1+(\lambda-a_{22})x_2-\cdots-a_{2n}x_n=0\\ \cdots\cdots\cdots\cdots\\ -a_{n1}x_1-a_{n2}x_2-\cdots+(\lambda-a_{nn})x_n=0\end{cases}, \tag{2.5}$$

解方程组（2.5），每一个代入的特征值都可以求出一组基础解系，即为此特征值在基 $\boldsymbol{\varepsilon}_1,\boldsymbol{\varepsilon}_2,\cdots,\boldsymbol{\varepsilon}_n$ 下的坐标，也即特征向量. 线性方程组 $(\lambda\boldsymbol{E}-\boldsymbol{A})\boldsymbol{x}=\boldsymbol{0}$ 的基础解系即可得到 $\boldsymbol{A}$ 对应于特征值的特征向量.

二、真题解析

例 1 （2019 年上初、高级中学）若矩阵 $\boldsymbol{A}=\begin{pmatrix}1&-1&1\\x&4&y\\-3&-3&5\end{pmatrix}$ 有三个线性无关的特征向量，$\lambda=2$ 是 $\boldsymbol{A}$ 的二重特征根，则（　）.

A. $x=-2,y=2$　　　　B. $x=1,y=-1$

C. $x=2,y=-2$　　　　D. $x=-1,y=1$

答案为 C.

解析 本题考查特征值与特征向量的知识点.

由已知条件 $\boldsymbol{A}=\begin{pmatrix}1&-1&1\\x&4&y\\-3&-3&5\end{pmatrix}$ 有三个线性无关的特征向量知，二重根 $\lambda=2$ 所对应的线性方程 $(2\boldsymbol{E}-\boldsymbol{A})\boldsymbol{x}=\boldsymbol{0}$ 应有两个线性无关解，即矩阵 $2\boldsymbol{E}-\boldsymbol{A}$ 的秩 $r(2\boldsymbol{E}-\boldsymbol{A})=1$，又

$$2\boldsymbol{E}-\boldsymbol{A}=\begin{pmatrix}1&1&-1\\-x&-2&-y\\3&3&-3\end{pmatrix}\to\begin{pmatrix}1&1&-1\\x&2&y\\0&0&0\end{pmatrix},$$

所以由 $1\cdot x=1\cdot 2\Rightarrow x=2,\ (-1)\cdot y=2\Rightarrow y=-2$ ，故答案为 C.

例 2 （2018 年下高级中学）设 $\boldsymbol{D}=\begin{pmatrix}2&1\\5&2\end{pmatrix}$，$\begin{pmatrix}x'\\y'\end{pmatrix}$表示$\begin{pmatrix}x\\y\end{pmatrix}$在 $\boldsymbol{D}$ 作用下的像，若$\begin{pmatrix}x\\y\end{pmatrix}$满足方程 $xy=1$，求$\begin{pmatrix}x'\\y'\end{pmatrix}$满足的方程.

解析 本题考查线性变换知识点.

由题意知

$$\begin{pmatrix}2&1\\5&2\end{pmatrix}\begin{pmatrix}x\\y\end{pmatrix}=\begin{pmatrix}2x+y\\5x+2y\end{pmatrix}=\begin{pmatrix}x'\\y'\end{pmatrix}，\text{即}\begin{cases}2x+y=x'\\5x+2y=y'\end{cases}$$

解得

$$\begin{cases}x=-2x'+y'\\y=5x'-2y'\end{cases}.$$

又 $xy=1$，则 $(-2x'+y')(5x'-2y')=1$ ，所以$\begin{pmatrix}x'\\y'\end{pmatrix}$满足的方程为

$$10x'^2-9x'y'+2y'^2=-1.$$

例 3 （2017 年上高级中学）下列矩阵所对应的线性变换为旋转变换的是（　　）.

A. $\begin{pmatrix}1&1\\0&1\end{pmatrix}$　　B. $\begin{pmatrix}1&0\\1&1\end{pmatrix}$

C. $\begin{pmatrix}1&1\\-1&1\end{pmatrix}$　　D. $\begin{pmatrix}0&1\\-1&0\end{pmatrix}$

答案为 D.

解析 本题考查线性变换知识点.

旋转变换公式为

$$\begin{pmatrix}x'\\y'\end{pmatrix}=\begin{pmatrix}\cos\theta&-\sin\theta\\\sin\theta&\cos\theta\end{pmatrix}\begin{pmatrix}x\\y\end{pmatrix},$$

将 $\theta=\dfrac{3\pi}{2}$ 代入旋转变换公式，得对应矩阵为$\begin{pmatrix}0&1\\-1&0\end{pmatrix}$.

例 4 （2017 年上高级中学）设 $\boldsymbol{A}=\begin{pmatrix}1&0&2\\0&3&0\\2&0&1\end{pmatrix}$，下列向量中为矩阵 $\boldsymbol{A}$

的特征向量的是（　　）.

A. $(1,\sqrt{2},0)^{\mathrm{T}}$　　B. $(2,0,1)^{\mathrm{T}}$　　C. $(-1,0,1)^{\mathrm{T}}$　　D. $(0,0,1)^{\mathrm{T}}$

答案为 C.

解析　由题意，令 $|\lambda\boldsymbol{E}-\boldsymbol{A}|=\begin{vmatrix}\lambda-1 & 0 & -2\\ 0 & \lambda-3 & 0\\ -2 & 0 & \lambda-1\end{vmatrix}=(\lambda+1)(\lambda-3)^2=0$，解得 $\lambda=-1$，$\lambda=3$.

把 $\lambda=3$ 代入 $\begin{pmatrix}\lambda-1 & 0 & -2\\ 0 & \lambda-3 & 0\\ -2 & 0 & \lambda-1\end{pmatrix}\begin{pmatrix}x_1\\ x_2\\ x_3\end{pmatrix}=0$，推出 $\begin{pmatrix}1 & 0 & -1\\ 0 & 0 & 0\\ 0 & 0 & 0\end{pmatrix}\begin{pmatrix}x_1\\ x_2\\ x_3\end{pmatrix}=0$，即 $x_1=x_3$，x_2 为自由变量；

把 $\lambda=-1$ 代入 $\begin{pmatrix}\lambda-1 & 0 & -2\\ 0 & \lambda-3 & 0\\ -2 & 0 & \lambda-1\end{pmatrix}\begin{pmatrix}x_1\\ x_2\\ x_3\end{pmatrix}=0$，推出 $x_1=-x_3$，$x_2=0$，令 $x_3=1$，可得对应特征向量为 $(-1,0,1)^{\mathrm{T}}$，故 C 选项正确.

例 5　（2016 年上初、高级中学）矩阵 $\begin{pmatrix}1 & 2 & 2\\ 2 & 1 & 2\\ 2 & 2 & 1\end{pmatrix}$ 的特征值的个数为(　　).

A. 0　　B. 1　　C. 2　　D. 3

答案为 D.

解析　求一个矩阵 $\boldsymbol{A}$ 的特征值，可以通过求解特征方程 $|\lambda\boldsymbol{E}-\boldsymbol{A}|=0$ 的全部根来实现，根 $\lambda_1,\lambda_2,\cdots,\lambda_n$ 即为矩阵 $\boldsymbol{A}$ 的所有特征值.

令　$|\lambda\boldsymbol{E}-\boldsymbol{A}|=\begin{vmatrix}\lambda-1 & -2 & -2\\ -2 & \lambda-1 & -2\\ -2 & -2 & \lambda-1\end{vmatrix}=\begin{vmatrix}\lambda-5 & -2 & -2\\ \lambda-5 & \lambda-1 & -2\\ \lambda-5 & -2 & \lambda-1\end{vmatrix}$

$$=(\lambda-5)\begin{vmatrix}1 & -2 & -2\\ 0 & \lambda+1 & 0\\ 0 & 0 & \lambda+1\end{vmatrix}=(\lambda-5)(\lambda+1)^2=0,$$

此方程的根为 $5,-1,-1$，即为所求特征值，所以选择 D.

例 6　（2015 年下高级中学）已知变换矩阵 $A=\begin{pmatrix}1&0&0\\0&2&0\\0&0&3\end{pmatrix}$，则 A 将空间曲面 $(x-1)^2+(y-2)^2+(z-1)^2=1$ 变成（　　）.

A. 球面　　　　B. 椭球面

C. 抛物面　　　D. 双曲面

答案为 B.

解析　不妨设曲面在变换矩阵 A 的作用下变为

$$\begin{pmatrix}1&0&0\\0&2&0\\0&0&3\end{pmatrix}\begin{pmatrix}x\\y\\z\end{pmatrix}=\begin{pmatrix}x\\2y\\3z\end{pmatrix}=\begin{pmatrix}x_1\\y_1\\z_1\end{pmatrix}\Rightarrow\begin{cases}x=x_1\\y=\dfrac{1}{2}y_1\\z=\dfrac{1}{3}z_1\end{cases},$$

故 $(x-1)^2+\left(\dfrac{1}{2}y-2\right)^2+\left(\dfrac{1}{3}z-1\right)^2=1$ 即为所求曲面方程，为椭球面.

例 7　（2016 年下初、高级中学）已知二次曲线 L：$9x^2+4y^2+18x+16y-11=0$，矩阵 $A=\begin{pmatrix}\frac{1}{2}&0\\0&\frac{1}{3}\end{pmatrix}$，向量 $B=\begin{pmatrix}\frac{1}{2}\\\frac{2}{3}\end{pmatrix}$，求二次曲线 L 在变换 $TX=AX+B$ 下所对二次曲线 L_1 的方程.

解析　由 $TX=AX+B$ 得

$$\begin{pmatrix}x_1\\y_1\end{pmatrix}=\begin{pmatrix}\frac{1}{2}&0\\0&\frac{1}{3}\end{pmatrix}\begin{pmatrix}x\\y\end{pmatrix}+\begin{pmatrix}\frac{1}{2}\\\frac{2}{3}\end{pmatrix}=\begin{pmatrix}\frac{1}{2}x+\frac{1}{2}\\\frac{1}{3}y+\frac{2}{3}\end{pmatrix},$$

所以 $x_1=\dfrac{1}{2}x+\dfrac{1}{2}$，$y_1=\dfrac{1}{3}y+\dfrac{2}{3}$，推出 $x=2x_1-1$，$y=3y_1-2$. 将其代入 $9x^2+4y^2+18x+16y-11=0$，化简得 ${x_1}^2+{y_1}^2=1$，故二次曲线 L_1 的方程为 $x^2+y^2=1$.

三、常考点同步练习

例 8 矩阵 $A=\begin{pmatrix}3 & 3 & 2\\1 & 1 & -2\\-3 & -1 & 0\end{pmatrix}$ 的特征根 $\lambda=4$ 所对应的特征向量为(　　).

A. $x=(a,a,-a),\ a\in\mathbf{R}$　　B. $x=(2a,a,-3a),\ a\in\mathbf{R}$

C. $x=(a,-a,a),\ a\in\mathbf{R}$　　D. $x=(-2a,3a,a),\ a\in\mathbf{R}$

答案为 A.

解析 不妨将特征根 $\lambda=4$ 代入齐次方程组，解得

$$\begin{cases}(4-3)x_1-3x_2-2x_3=0\\-x_1+(4-1)x_2+2x_3=0\\3x_1+x_2+4x_3=0\end{cases},$$

化简得

$$\begin{cases}x_1-3x_2-2x_3=0\\-x_1+3x_2+2x_3=0\\3x_1+x_2+4x_3=0\end{cases},$$

解得 $x_1=-x_3$，$x_2=-x_3$. 故矩阵 A 的属于特征根 $\lambda=4$ 的特征向量为 $(a,a-a)$.

例 9 记矩阵 $A=\begin{pmatrix}0 & 1 & 1\\1 & 1 & -1\\0 & 1 & 1\end{pmatrix}$，求出 A 的所有特征值和特征向量.

解析 令

$$|\lambda E-A|=\begin{vmatrix}\lambda & -1 & -1\\-1 & \lambda-1 & 1\\0 & -1 & \lambda-1\end{vmatrix}=\begin{vmatrix}0 & \lambda(\lambda-1)-1 & \lambda-1\\-1 & \lambda-1 & 1\\0 & -1 & \lambda-1\end{vmatrix}=\lambda(\lambda-1)^2=0,$$

则矩阵 A 的特征根 λ 分别为 $0,1,1$.

当 $\lambda=0$ 时，由 $\begin{pmatrix}0 & -1 & -1\\-1 & -1 & 1\\0 & -1 & -1\end{pmatrix}\begin{pmatrix}x_1\\x_2\\x_3\end{pmatrix}=0$，解得 $x_1=2x_3$，$x_2=-x_3$. 令 $x_3=1$，

得 $\lambda=0$ 所对应的特征向量为 $\boldsymbol{\alpha}_1=\begin{pmatrix}2\\-1\\1\end{pmatrix}$.

当 $\lambda=1$ 时，由 $\begin{pmatrix}1&-1&-1\\-1&0&1\\0&-1&0\end{pmatrix}\begin{pmatrix}x_1\\x_2\\x_3\end{pmatrix}=0$ 解得 $x_1=x_3$， $x_2=0$．令 $x_1=x_3=1$，

则 $\lambda=1$ 所对应的特征向量为 $\boldsymbol{\alpha}_2=\begin{pmatrix}1\\0\\1\end{pmatrix}$.

例 10 记 $\boldsymbol{M}=\begin{pmatrix}1&-1\\-1&1\end{pmatrix}$，求直线 $y=3x$ 在变换矩阵 $\boldsymbol{M}$ 的作用下所变成的直线.

解析 不妨在直线 $y=3x$ 上任取两点 $(0,0)$，$(1,3)$，则由

$$\begin{pmatrix}1&-1\\-1&1\end{pmatrix}\begin{pmatrix}0\\0\end{pmatrix}=\begin{pmatrix}0\\0\end{pmatrix},\quad \begin{pmatrix}1&-1\\-1&1\end{pmatrix}\begin{pmatrix}1\\3\end{pmatrix}=\begin{pmatrix}-2\\2\end{pmatrix}$$

可得 $(0,0)$， $(1,3)$ 在变换矩阵 $\boldsymbol{M}$ 所对应的线性变换下的像为 $(0,0)$， $(-2,2)$．因为两点可以确定一条直线，所以过点 $(0,0)$， $(-2,2)$ 的方程为 $y=-x$，即为所求直线.

核心考点八　欧几里得空间

一、重要知识点

定义 1　V 为实数域 $\mathbf{R}$ 上的一个线性空间，若 $\forall\boldsymbol{\alpha}\in V,\boldsymbol{\beta}\in V,\boldsymbol{\gamma}\in V$，都有以下式子成立：

（1）$(\boldsymbol{\alpha},\boldsymbol{\beta})=(\boldsymbol{\beta},\boldsymbol{\alpha})$；

（2）$(k\boldsymbol{\alpha},\boldsymbol{\beta})=k(\boldsymbol{\alpha},\boldsymbol{\beta})$；

（3）$(\boldsymbol{\alpha}+\boldsymbol{\beta},\boldsymbol{\gamma})=(\boldsymbol{\alpha},\boldsymbol{\gamma})+(\boldsymbol{\beta},\boldsymbol{\gamma})$；

（4）$(\boldsymbol{\alpha},\boldsymbol{\alpha})\geqslant 0$ 当且仅当 $\boldsymbol{\alpha}=\mathbf{0}$ 时 $(\boldsymbol{\alpha},\boldsymbol{\alpha})=0$．

则称 $(\boldsymbol{\alpha},\boldsymbol{\beta})$ 为 $\boldsymbol{\alpha},\boldsymbol{\beta}$ 的内积，定义了内积的线性空间 V 称为欧几里得空间，简称欧式空间.

定义 2　若向量 $\boldsymbol{\alpha},\boldsymbol{\beta}$ 的内积 $(\boldsymbol{\alpha},\boldsymbol{\beta})=0$，则称 $\boldsymbol{\alpha},\boldsymbol{\beta}$ 是正交的，或相互垂直的，记作 $\boldsymbol{\alpha}\perp\boldsymbol{\beta}$.

定义 3 对于欧式空间 V 中的任意一组非零向量，若他们两两相互正交，则称此向量组为正交向量组.

定义 4 设 $\boldsymbol{\alpha}_1,\boldsymbol{\alpha}_2,\cdots,\boldsymbol{\alpha}_n$ 为 n 维欧式空间 V 的任意一组基，对其进行正交化，可得到两两相互垂直的正交基，由单位向量组成的正交基成为标准正交基，n 维欧式空间 V 一定存在正交基和标准正交基.

将 n 维欧式空间 V 的任一组基 $\boldsymbol{\alpha}_1,\boldsymbol{\alpha}_2,\cdots,\boldsymbol{\alpha}_n$ 变成标准正交基，可按以下步骤完成.

（1）用施密特(Schmidt)正交化过程化为正交基 $\boldsymbol{\beta}_1,\boldsymbol{\beta}_2,\cdots,\boldsymbol{\beta}_n$：

$$\boldsymbol{\beta}_1=\boldsymbol{\alpha}_1$$

$$\boldsymbol{\beta}_2=\boldsymbol{\alpha}_2-\frac{(\boldsymbol{\alpha}_2,\boldsymbol{\beta}_1)}{(\boldsymbol{\beta}_1,\boldsymbol{\beta}_1)}\boldsymbol{\beta}_1$$

$$\cdots\cdots\cdots\cdots$$

$$\boldsymbol{\beta}_n=\boldsymbol{\alpha}_n-\frac{(\boldsymbol{\alpha}_n,\boldsymbol{\beta}_1)}{(\boldsymbol{\beta}_1,\boldsymbol{\beta}_1)}\boldsymbol{\beta}_1-\frac{(\boldsymbol{\alpha}_n,\boldsymbol{\beta}_2)}{(\boldsymbol{\beta}_2,\boldsymbol{\beta}_2)}\boldsymbol{\beta}_2-\cdots-\frac{(\boldsymbol{\alpha}_n,\boldsymbol{\beta}_{n-1})}{(\boldsymbol{\beta}_{n-1},\boldsymbol{\beta}_{n-1})}\boldsymbol{\beta}_{n-1}$$

（2）把每个 $\boldsymbol{\beta}_i$ 单位化，则得到 V 的一组标准正交基.

二、真题解析

例 1 （2016 年上初、高级中学）设 $\boldsymbol{A}=\begin{pmatrix}1&1&0\\1&2&1\\3&4&1\end{pmatrix}$，求子空间 $\boldsymbol{A}(\mathbf{R}^3)=\{\boldsymbol{A}\boldsymbol{a}\mid\boldsymbol{a}\in\mathbf{R}^3\}$ 的一组正交基.

解析 本题考查标准正交基的求法.

不妨取 $\mathbf{R}^3$ 上一组基：$\boldsymbol{e}_1=(1,0,0)^{\mathrm{T}}$，$\boldsymbol{e}_2=(0,1,0)^{\mathrm{T}}$，$\boldsymbol{e}_3=(0,0,1)^{\mathrm{T}}$，则由

$$\boldsymbol{A}\boldsymbol{e}_1=(1,1,3)^{\mathrm{T}}=\boldsymbol{\varepsilon}_1,\quad \boldsymbol{A}\boldsymbol{e}_2=(1,2,4)^{\mathrm{T}}=\boldsymbol{\varepsilon}_2,\quad \boldsymbol{A}\boldsymbol{e}_3=(0,1,1)^{\mathrm{T}}=\boldsymbol{\varepsilon}_3,$$

得
$$\boldsymbol{A}(\mathbf{R}^3)=\{\boldsymbol{A}\boldsymbol{a}\mid\boldsymbol{a}\in\mathbf{R}^3\}=(\boldsymbol{\varepsilon}_1,\boldsymbol{\varepsilon}_2,\boldsymbol{\varepsilon}_3).$$

又
$$(\boldsymbol{\varepsilon}_1,\boldsymbol{\varepsilon}_2,\boldsymbol{\varepsilon}_3)=\begin{pmatrix}1&1&0\\1&2&1\\3&4&1\end{pmatrix}\to\begin{pmatrix}1&1&0\\0&1&1\\0&1&1\end{pmatrix}\to\begin{pmatrix}1&1&0\\0&1&1\\0&0&0\end{pmatrix},$$

故 $r(\boldsymbol{\varepsilon}_1,\boldsymbol{\varepsilon}_2,\boldsymbol{\varepsilon}_3)=2$，且 $\boldsymbol{\varepsilon}_1,\boldsymbol{\varepsilon}_2$ 线性无关，即 $\boldsymbol{\varepsilon}_1,\boldsymbol{\varepsilon}_2$ 为 $\boldsymbol{A}(\mathbf{R}^3)=\{\boldsymbol{A}\boldsymbol{a}\mid \boldsymbol{a}\in\mathbf{R}^3\}$ 的一组基，现将 $\boldsymbol{\varepsilon}_1,\boldsymbol{\varepsilon}_2$ 进行 Schmidt 正交化可得

$$\boldsymbol{\beta}_1=\boldsymbol{\varepsilon}_1=(1,1,3)^{\mathrm{T}}，\quad \boldsymbol{\beta}_2=\boldsymbol{\varepsilon}_2-\frac{(\varepsilon_2,\boldsymbol{\beta}_1)}{(\boldsymbol{\beta}_1,\boldsymbol{\beta}_1)}\boldsymbol{\beta}_1=\left(-\frac{4}{11},\frac{7}{11},-\frac{1}{11}\right)^{\mathrm{T}}.$$

所以，子空间 $\boldsymbol{A}(\mathbf{R}^3)=\{\boldsymbol{A}\boldsymbol{a}\mid \boldsymbol{a}\in\mathbf{R}^3\}$ 的一组正交基为

$$\boldsymbol{\beta}_1=\boldsymbol{\varepsilon}_1=(1,1,3)^{\mathrm{T}}，\quad \boldsymbol{\beta}_2=\boldsymbol{\varepsilon}_2-\frac{(\varepsilon_2,\boldsymbol{\beta}_1)}{(\boldsymbol{\beta}_1,\boldsymbol{\beta}_1)}\boldsymbol{\beta}_1=\left(-\frac{4}{11},\frac{7}{11},-\frac{1}{11}\right)^{\mathrm{T}}.$$

三、常考点同步练习

例 2 齐次线性方程 $\begin{cases}2x_1+x_2-x_3+x_4-3x_5=0\\ x_1+x_2-x_3+x_5=0\end{cases}$，求它的解空间的一组标准正交基.

解析 记 $\boldsymbol{AX}=\mathbf{0}$ 为已知齐次线性方程，对系数矩阵 $\boldsymbol{A}$ 进行初等行变换

$$\begin{pmatrix}2&1&-1&1&-3\\1&1&-1&0&1\end{pmatrix}\to\begin{pmatrix}1&1&-1&0&1\\0&-1&1&1&-5\end{pmatrix}\to\begin{pmatrix}1&0&0&1&-4\\0&1&-1&-1&5\end{pmatrix},$$

所以方程组的一般解为 $\begin{cases}x_1=-x_4+4x_5\\ x_2=x_3+x_4-5x_5\end{cases}$，$x_3,x_4,x_5$ 为自由变量，故基础解系 $\boldsymbol{\alpha}_1=(0,1,1,0,0)$，$\boldsymbol{\alpha}_2=(-1,1,0,1,0)$，$\boldsymbol{\alpha}_3=(4,-5,0,0,1)$ 为解空间的一组基，现将 $\boldsymbol{\alpha}_1,\boldsymbol{\alpha}_2,\boldsymbol{\alpha}_3$ 正交化得

$$\boldsymbol{\beta}_1=\boldsymbol{\alpha}_1=(0,1,1,0,0),$$

$$\boldsymbol{\beta}_2=\boldsymbol{\alpha}_2-\frac{(\boldsymbol{\alpha}_2,\boldsymbol{\beta}_1)}{(\boldsymbol{\beta}_1,\boldsymbol{\beta}_1)}\boldsymbol{\beta}_1=\left(-1,\frac{1}{2},-\frac{1}{2},1,0\right),$$

$$\boldsymbol{\beta}_3=\boldsymbol{\alpha}_3-\frac{(\boldsymbol{\alpha}_3,\boldsymbol{\beta}_1)}{(\boldsymbol{\beta}_1,\boldsymbol{\beta}_1)}\boldsymbol{\beta}_1-\frac{(\boldsymbol{\alpha}_3,\boldsymbol{\beta}_2)}{(\boldsymbol{\beta}_2,\boldsymbol{\beta}_2)}\boldsymbol{\beta}_2=\left(\frac{7}{5},-\frac{6}{5},\frac{6}{5},\frac{13}{5},1\right),$$

单位化得

$$\boldsymbol{\eta}_1=\frac{1}{\sqrt{2}}(0,1,1,0,0),$$

$$\boldsymbol{\eta}_2=\frac{1}{\sqrt{10}}(-2,1,-1,2,0),$$

$$\boldsymbol{\eta}_3=\frac{1}{3\sqrt{35}}(7,-6,6,13,5).$$

$\boldsymbol{\eta}_1,\boldsymbol{\eta}_2,\boldsymbol{\eta}_3$即为解空间的一组标准正交基.

例 3 把向量组

$$\boldsymbol{\alpha}_1=(1,1,0,0),\quad \boldsymbol{\alpha}_2=(1,0,1,0),$$

$$\boldsymbol{\alpha}_3=(-1,0,0,1),\quad \boldsymbol{\alpha}_4=(1,-1,-1,1)$$

变成单位正交的.

解析 将$\boldsymbol{\alpha}_1,\boldsymbol{\alpha}_2,\boldsymbol{\alpha}_3,\boldsymbol{\alpha}_4$进行 Schmidt 正交化得

$$\boldsymbol{\beta}_1=\boldsymbol{\alpha}_1=(1,1,0,0),$$

$$\boldsymbol{\beta}_2=\boldsymbol{\alpha}_2-\frac{(\boldsymbol{\alpha}_2,\boldsymbol{\beta}_1)}{(\boldsymbol{\beta}_1,\boldsymbol{\beta}_1)}\boldsymbol{\beta}_1=\left(\frac{1}{2},-\frac{1}{2},1,0\right),$$

$$\boldsymbol{\beta}_3=\boldsymbol{\alpha}_3-\frac{(\boldsymbol{\alpha}_3,\boldsymbol{\beta}_1)}{(\boldsymbol{\beta}_1,\boldsymbol{\beta}_1)}\boldsymbol{\beta}_1-\frac{(\boldsymbol{\alpha}_3,\boldsymbol{\beta}_2)}{(\boldsymbol{\beta}_2,\boldsymbol{\beta}_2)}\boldsymbol{\beta}_2=\left(-\frac{1}{3},\frac{1}{3},\frac{1}{3},1\right),$$

$$\boldsymbol{\beta}_4=\boldsymbol{\alpha}_4-\frac{(\boldsymbol{\alpha}_4,\boldsymbol{\beta}_1)}{(\boldsymbol{\beta}_1,\boldsymbol{\beta}_1)}\boldsymbol{\beta}_1-\frac{(\boldsymbol{\alpha}_4,\boldsymbol{\beta}_2)}{(\boldsymbol{\beta}_2,\boldsymbol{\beta}_2)}\beta_2-\frac{(\boldsymbol{\alpha}_4,\boldsymbol{\beta}_3)}{(\boldsymbol{\beta}_3,\boldsymbol{\beta}_3)}\boldsymbol{\beta}_3=(1,-1,-1,1),$$

单位化得

$$\boldsymbol{\eta}_1=\frac{1}{\sqrt{2}}(1,1,0,0),$$

$$\boldsymbol{\eta}_2=\frac{1}{\sqrt{6}}(1,-1,2,0),$$

$$\boldsymbol{\eta}_3 = \frac{1}{\sqrt{12}}(-1,1,1,3) ,$$

$$\boldsymbol{\eta}_4 = \frac{1}{2}(1,-1,-1,1) .$$

向量组 $\boldsymbol{\eta}_1, \boldsymbol{\eta}_2, \boldsymbol{\eta}_3, \boldsymbol{\eta}_4$ 即为所求向量组.

第 3 章　空间解析几何

本章主要对教师资格证考试中的空间解析几何这一部分知识的常考点进行分析，以便更好地了解空间解析几何这一部分知识在教师资格证考试中的基本情况，整理和归纳出常考知识点和常考题型，并给出大量同步练习，为备考者提供力所能及的帮助.

考点统计与分析

整理并分析 2014—2019 年数学学科知识（初级、高级中学）真题，得出空间解析几何这一部分知识在教师资格证考试中的具体情况，并统计于表 3.1 中.

表 3.1　2014—2019 年数学学科知识中“空间解析几何”考点

时间		题型	知识点	题量		分值	
				各题型题量	总题量	各题型分值	总分值
2014（初、高）	上半年	选择题	曲线的切线方程	1	2	5	12
		简答题	空间椭圆	1		7	
	下半年	选择题	曲线方程	1	2	5	12
		简答题	直线与平面的位置关系	1		7	
2015（初、高）	上半年	选择题	曲线方程	1	1	5	5
	下半年	选择题	曲面方程；向量的运算	2	3	10	17
		简答题	曲面方程	1		7	
2016（初、高）	上半年	选择题	曲面方程	1	2	5	12
		简答题	球面的切平面方程	1		7	
	下半年	选择题	直线与平面的位置关系	1	1	5	5

续表

<table>
<tr><td rowspan="2" colspan="2">时 间</td><td rowspan="2">题型</td><td rowspan="2">知识点</td><td colspan="2">题 量</td><td colspan="2">分 值</td></tr>
<tr><td>各题型题量</td><td>总题量</td><td>各题型分值</td><td>总分值</td></tr>
<tr><td rowspan="3">2017
（初、高）</td><td rowspan="2">上半年</td><td>选择题</td><td>直线与直线的位置关系</td><td>1</td><td rowspan="2">2</td><td>5</td><td rowspan="2">12</td></tr>
<tr><td>简答题</td><td>曲面的切平面；
平面与平面的位置关系</td><td>1</td><td>7</td></tr>
<tr><td>下半年</td><td>简答题</td><td>旋转曲面</td><td>1</td><td>1</td><td>7</td><td>7</td></tr>
<tr><td rowspan="4">2018
（初、高）</td><td rowspan="3">上半年</td><td>选择题</td><td>向量的运算</td><td>1</td><td rowspan="3">3</td><td rowspan="2">10</td><td rowspan="3">17</td></tr>
<tr><td>选择题</td><td>平面与平面的位置关系</td><td>1</td></tr>
<tr><td>简答题</td><td>曲面的切平面法向量</td><td>1</td><td>7</td></tr>
<tr><td>下半年</td><td>选择题</td><td>向量与平面的位置关系</td><td>1</td><td>1</td><td>5</td><td>5</td></tr>
<tr><td rowspan="3">2019
（初、高）</td><td rowspan="3">上半年</td><td rowspan="2">选择题</td><td>曲线方程</td><td>2</td><td rowspan="3">4</td><td>10</td><td rowspan="3">24</td></tr>
<tr><td>平面与平面的位置关系</td><td>1</td><td>7</td></tr>
<tr><td>简答题</td><td>直线与直线的位置关系</td><td>1</td><td>7</td></tr>
</table>

2014—2019 年真题中“空间解析几何”常考点及其出现的频数和考查题型如表 3.2、图 3.1 所示.

表 3.2　2014—2019 年“空间解析几何”常考点及其出现的频数和考查题型

序号	知识点名称	出现的频数	考查题型
1	切线方程	1	选择题
2	空间椭圆	1	简答题
3	曲线方程	3	选择题、简答题
4	直线与平面的位置关系	2	选择题、简答题
5	曲面方程	3	选择题、简答题
6	向量的运算	2	选择题
7	切平面方程	3	简答题
8	直线间的位置关系及距离	2	选择题、简答题
9	平面与平面的位置关系	3	选择题、简答题
10	向量与平面的位置关系	1	选择题
11	旋转曲面	1	简答题

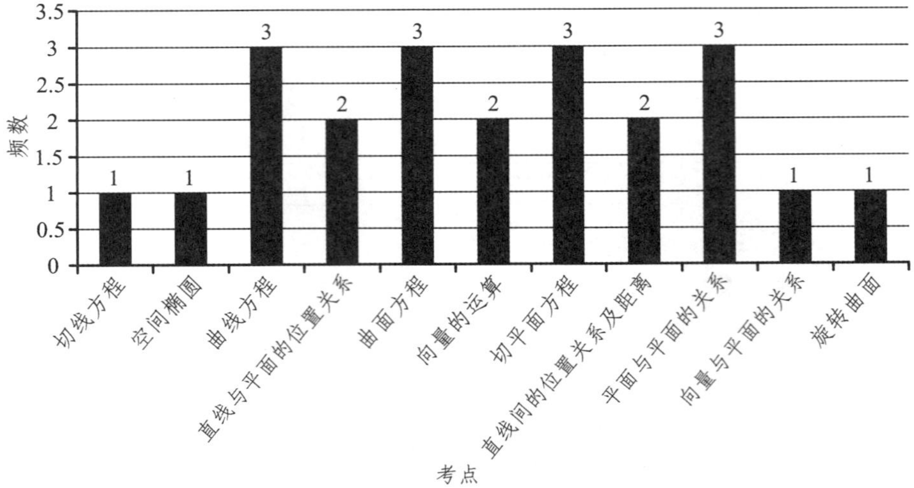

图 3.1　2014—2019 年考点及考点出现的频数统计

从表 3.1、表 3.2 和图 3.1 可看出，近 6 年来，中学数学教师资格证考试中，空间解析几何部分主要考查切线方程、切平面方程、曲线方程、曲面方程、直线与直线的位置关系、直线与平面的位置关系、平面与平面的位置关系等知识点. 知识点出现的频数相对其他学科来说比较均匀，切平面方程、曲线方程、曲面方程、直线与直线的位置关系、直线与平面的位置关系、平面与平面的位置关系这些知识点都为高频核心考点，不止 1 次出现在真题中.

由于空间解析几何这一部分知识涉及内容较多，考生在备考时应进行全面系统的复习，并在复习的过程中学记结合，对知识点予以总结和梳理以及对比理解，形成知识框架体系，以便加深理解和巩固考点. 同时，应配套大量的同步练习，以检验考生的复习效果，找出漏洞，提高复习效率.

核心考点一　空间坐标系与向量

一、重要知识点

1. 向量在空间坐标系中的表示

令 $\vec{a}=(x_1,y_1,z_1)$ ，$\vec{b}=(x_2,y_2,z_2)$ ，则

$\vec{a} \pm \vec{b} = (x_1 \pm x_2, y_1 \pm y_2, z_1 \pm z_2)$， $\vec{a} \perp \vec{b} \Leftrightarrow x_1x_2 + y_1y_2 + z_1z_2 = 0$ ，

$\vec{a} \cdot \vec{b} = x_1x_2 + y_1y_2 + z_1z_2$ ，

$$\vec{a} // \vec{b} \Leftrightarrow x_1 = \lambda x_2, y_1 = \lambda y_2, z_1 = \lambda z_2 \Leftrightarrow \frac{x_1}{x_2} = \frac{y_1}{y_2} = \frac{z_1}{z_2}.$$

$$|\vec{a} \times \vec{b}| = |\vec{a}| \cdot |\vec{b}| \cdot \sin < \vec{a}, \vec{b} > ,$$

$$\cos < \vec{a}, \vec{b} > = \frac{\vec{a} \cdot \vec{b}}{|\vec{a}| \cdot |\vec{b}|} = \frac{x_1x_2 + y_1y_2 + z_1z_2}{\sqrt{{x_1}^2 + {y_1}^2 + {z_1}^2} \cdot \sqrt{{x_2}^2 + {y_2}^2 + {z_2}^2}}.$$

2. 向量的运算

向量有加法、数乘、点乘以及叉乘四种运算.

四种向量运算的定义如表 3.3 所示.

表 3.3 四种向量运算的定义

运算名称	定 义
加法运算	设有两个向量分别为 $\vec{a}$ 和 $\vec{b}$，平移向量 $\vec{a}$，使得 $\vec{a}$ 的终点连接到 $\vec{b}$ 的起点，这时从 $\vec{a}$ 的起点到 $\vec{b}$ 的终点的向量记为向量 $\vec{c}$，则向量 $\vec{c}$ 称为 $\vec{a}$ 与 $\vec{b}$ 的和，记作 $\vec{a}+\vec{b}$ ，即 $\vec{c}=\vec{a}+\vec{b}$
数乘运算	设有一个向量 $\vec{a}$ 和一个实数 λ，它们的乘积是一个向量，记为 $\lambda\vec{a}$，它的模为 $\|\lambda\vec{a}\|=\|\lambda\|\|\vec{a}\|$. 当 $\lambda>0$ 时，$\lambda\vec{a}$ 与 $\vec{a}$ 方向相同；当 $\lambda<0$ 时，$\lambda\vec{a}$ 与 $\vec{a}$ 方向相反；当 $\lambda=0$ 时，$\|\lambda\vec{a}\|=0$ ，即 $\lambda\vec{a}$ 为零向量
点乘运算	设有两个向量分别为 $\vec{a}$ 和 $\vec{b}$，它们的模与夹角 θ（其中 θ 为 $\vec{a}$ 和 $\vec{b}$ 的夹角）的余弦的乘积叫作向量 $\vec{a}$ 和 $\vec{b}$ 的数量积，也称为内积，记为 $\vec{a}\cdot\vec{b}$ 或 $\vec{a}\vec{b}$ ，即 $\vec{a}\cdot\vec{b}=\|\vec{a}\|\|\vec{b}\|\cos\theta$
叉乘运算	设有两个向量分别为 $\vec{a}$ 和 $\vec{b}$ ，它们的向量积也是一个向量，记为 $\vec{a}\times\vec{b}$ 或 $[\vec{a}\vec{b}]$，它的模是 $\|\vec{a}\times\vec{b}\|=\|\vec{a}\|\|\vec{b}\|\sin\theta$（其中 θ 为 $\vec{a}$ 和 $\vec{b}$ 的夹角），它的方向与 $\vec{a}$ 和 $\vec{b}$ 都垂直，并且按 $\vec{a}$ ， $\vec{b}$ ， $\vec{a}\times\vec{b}$ 的顺序构建成右手标架 $\{O;\vec{a},\vec{b},\vec{a}\times\vec{b}\}$

它们具有的运算规律如表 3.4 所示.

表 3.4　向量的运算规律

	交换律	结合律	分配律
加法运算	$\vec{a}+\vec{b}=\vec{b}+\vec{a}$	$(\vec{a}+\vec{b})+\vec{c}=\vec{a}+(\vec{b}+\vec{c})$	—
数乘运算	—	$\lambda(\mu\vec{a})=\mu(\lambda\vec{a})=(\lambda\mu)\vec{a}$	$(\lambda+\mu)\vec{a}=\lambda\vec{a}+\mu\vec{a}$, $\lambda(\vec{a}+\vec{b})=\lambda\vec{a}+\lambda\vec{b}$
点乘运算	$\vec{a}\vec{b}=\vec{b}\vec{a}$	$(\lambda\vec{a})\vec{b}=\vec{a}(\lambda\vec{b})=\lambda(\vec{a}\vec{b})$	$\vec{c}(\vec{a}+\vec{b})=\vec{c}\vec{a}+\vec{c}\vec{b}$
叉乘运算	—	$(\lambda\vec{a})\times\vec{b}=\vec{a}\times(\lambda\vec{b})=\lambda(\vec{a}\times\vec{b})$	$\vec{c}\times(\vec{a}+\vec{b})=\vec{c}\times\vec{a}+\vec{c}\times\vec{b}$

二、真题解析

例 1　（2018 年上初级中学）设 $\vec{a}$，$\vec{b}$ 为非零向量，下列命题正确的是（　　）.

A. $\vec{a}\times\vec{b}$ 垂直于 $\vec{a}$　　B. $\vec{a}\times\vec{b}$ 平行于 $\vec{a}$

C. $\vec{a}\cdot\vec{b}$ 平行于 $\vec{a}$　　D. $\vec{a}\cdot\vec{b}$ 垂直于 $\vec{a}$

答案为 A.

解析　两个向量的数量积是常数. 两个向量的向量积是向量，其方向满足右手定则，垂直于原向量的平面. C 选项和 D 选项的 $\vec{a}\cdot\vec{b}$ 为数量积，它们的结果是一个数，数只有大小没有方向，所以 C 选项和 D 选项错误；$\vec{a}\times\vec{b}$ 为向量积，其方向与 $\vec{a}$，$\vec{b}$ 向量垂直，所以 A 选项正确.

例 2　（2018 年上高级中学）设 $\vec{a}$，$\vec{b}$ 为非零向量，下列四个命题：

（1）$\vec{a}\times\vec{b}$ 垂直于 $\vec{a}$　　（2）$\vec{a}\times\vec{b}$ 垂直于 $\vec{b}$

（3）$\vec{a}\times\vec{b}$ 平行于 $\vec{a}$　　（4）$\vec{a}\times\vec{b}$ 平行于 $\vec{b}$

正确的个数是（　　）.

A. 0 个　　B. 1 个　　C. 2 个　　D. 3 个

答案为 C.

解析　本题考查的知识点是两个向量的向量积. 两个向量的向量积是向量，其方向满足右手定则，垂直于原向量的平面，$\vec{a}$ 与 $\vec{b}$ 在同一平面，故有 $\vec{a}\times\vec{b}$ 既垂直于 $\vec{a}$，又垂直于 $\vec{b}$.

例 3 （2019 年上初、高级中学）已知空间直角坐标与球坐标的变换公式为 $\begin{cases} x=\rho\cos\theta\cos\varphi \\ y=\rho\cos\theta\sin\varphi \\ z=\rho\sin\theta \end{cases}$ $\left(\rho\geqslant 0,-\pi<\varphi\leqslant\pi,-\dfrac{\pi}{2}\leqslant\theta\leqslant\dfrac{\pi}{2}\right)$，则在球坐标系中，$\theta=\dfrac{\pi}{3}$ 表示的图形是（　　）.

A. 柱面　　B. 圆面　　C. 半柱面　　D. 半锥面

答案为 D.

解析　本题考查空间曲面方程，涉及直角坐标与球坐标之间的坐标变换.

把 $\theta=\dfrac{\pi}{3}$ 代入变换公式

$$\begin{cases} x=\rho\cos\theta\cos\varphi \\ y=\rho\cos\theta\sin\varphi \\ z=\rho\sin\theta \end{cases},$$

可得

$$\begin{cases} x=\dfrac{1}{2}\rho\cos\varphi \\ y=\dfrac{1}{2}\rho\sin\varphi \\ z=\dfrac{\sqrt{3}}{2}\rho \end{cases}.$$

消去参数 ρ,φ 可得 $z=\sqrt{3x^2+3y^2}$，可看出 $z=\sqrt{3}y(z>0)$ 绕 z 轴旋转即可得到此方程. 故该方程表示以原点为顶点、以 yOz 平面上的射线 $z=\sqrt{3}y(z>0)$ 为母线、以 z 轴为旋转轴的半锥面. 故答案为 D.

三、常考点同步练习

例 4　向量 $(\overrightarrow{AB}+\overrightarrow{MB})+(\overrightarrow{BO}+\overrightarrow{BC})+\overrightarrow{OM}$ 化简后得到（　　）.

A. $\overrightarrow{BC}$　　B. $\overrightarrow{AB}$　　C. $\overrightarrow{AC}$　　D. $\overrightarrow{AM}$

答案为 C.

解析　由向量的运算规律知

$$(\overrightarrow{AB}+\overrightarrow{MB})+(\overrightarrow{BO}+\overrightarrow{BC})+\overrightarrow{OM}=\overrightarrow{AB}+\overrightarrow{MB}+\overrightarrow{BO}+\overrightarrow{BC}+\overrightarrow{OM}$$
$$=\overrightarrow{AB}+\overrightarrow{BO}+\overrightarrow{OM}+\overrightarrow{MB}+\overrightarrow{BC}$$
$$=\overrightarrow{AC}$$

故选择 C.

例 5 已知 $|\vec{a}\cdot\vec{b}|=3, |\vec{a}\times\vec{b}|=4$, 求 $|\vec{a}|\cdot|\vec{b}|$.

解析 本题考查的知识点是向量的数量积和向量积.

由题意得

$$|\vec{a}\cdot\vec{b}|=|\vec{a}|\cdot|\vec{b}|\cos<\vec{a},\vec{b}>=3,\quad |\vec{a}\times\vec{b}|=|\vec{a}|\cdot|\vec{b}|\sin<\vec{a},\vec{b}>=4$$

$$\Rightarrow|\vec{a}\times\vec{b}|^2+|\vec{a}\cdot\vec{b}|^2=(|\vec{a}|\cdot|\vec{b}|)^2=25,$$

所以 $|\vec{a}|\cdot|\vec{b}|=5$.

核心考点二　直线与平面

一、重要知识点

1. 直线及其方向向量

1）直线与直线的位置关系（表 3.5）

表 3.5　直线与直线的位置关系的定义及其性质

位置关系	定　义	交点个数	是否共面
重合	在同一个平面内，有无数个公共点的两条直线	无数	共面
平行	在同一个平面内，没有公共点的两条直线	0	共面
相交	在同一个平面内，仅仅只有一个公共点的两条直线	1	共面
异面	既没有在同一个平面内同时也没有公共点的两条直线	0	不共面

2）直线间的关系与方向向量

（1）设直线 L_1：$\dfrac{x-x_0}{l}=\dfrac{y-y_0}{m}=\dfrac{z-z_0}{n}$，则其方向向量为 $\vec{s}=(l,m,n)$.

（2）设直线 L_2：$\begin{cases}A_1x+B_1y+C_1z+D_1=0\\A_2x+B_2y+C_2z+D_2=0\end{cases}$，则其方向向量为

$$\vec{s}=\begin{vmatrix}\vec{i} & \vec{j} & \vec{k}\\A_1 & B_1 & C_1\\A_2 & B_2 & C_2\end{vmatrix}=\left(\begin{vmatrix}B_1 & C_1\\B_2 & C_2\end{vmatrix},-\begin{vmatrix}A_1 & C_1\\A_2 & C_2\end{vmatrix},\begin{vmatrix}A_1 & B_1\\A_2 & B_2\end{vmatrix}\right).$$

两条直线位置关系的判断：

若有一条直线 L_1：$\dfrac{x-x_1}{l_1}=\dfrac{y-y_1}{m_1}=\dfrac{z-z_1}{n_1}$，另一条直线 L_2：$\dfrac{x-x_2}{l_2}=\dfrac{y-y_2}{m_2}=\dfrac{z-z_2}{n_2}$，则直线 L_1 和 L_2 的方向向量分别为 $\overrightarrow{s_1}=(l_1,m_1,n_1)$ 和 $\overrightarrow{s_2}=(l_2,m_2,n_2)$，那么

① 当 $\overrightarrow{s_1}//\overrightarrow{s_2}$，即 $\dfrac{l_1}{l_2}=\dfrac{m_1}{m_2}=\dfrac{n_1}{n_2}$ 且 (x_1,y_1,z_1) 不满足于直线 L_2 的方程，则 $L_1//L_2$.

② 当 $\overrightarrow{s_1}//\overrightarrow{s_2}$，即 $\dfrac{l_1}{l_2}=\dfrac{m_1}{m_2}=\dfrac{n_1}{n_2}$ 且 (x_1,y_1,z_1) 满足于直线 L_2 的方程，则直线 L_1 重合于直线 L_2.

③ 当 $\overrightarrow{s_1}\perp\overrightarrow{s_2}$，则 $\overrightarrow{s_1}\times\overrightarrow{s_2}=0$，即 $l_1l_2+m_1m_2+n_1n_2=0$，则 $L_1\perp L_2$.

④ 当 $\dfrac{l_1}{l_2}\neq\dfrac{m_1}{m_2}\neq\dfrac{n_1}{n_2}$ 且 $l_1l_2+m_1m_2+n_1n_2\neq 0$ 时，则 L_1 与 L_2 相交但不垂直.

⑤ 异面直线的判断：两直线不同在任何一个平面内；两直线既不相交也不平行.

两相交直线的夹角：

若有一条直线 L_1：$\dfrac{x-x_1}{l_1}=\dfrac{y-y_1}{m_1}=\dfrac{z-z_1}{n_1}$，另一条直线 L_2：$\dfrac{x-x_2}{l_2}=\dfrac{y-y_2}{m_2}=\dfrac{z-z_2}{n_2}$，$L_1$ 与 L_2 的夹角为 θ，则

$$\cos\theta=\frac{|l_1l_2+m_1m_2+n_1n_2|}{\sqrt{l_1^2+m_1^2+n_1^2}\sqrt{l_2^2+m_2^2+n_2^2}}.$$

2. 直线与平面之间的关系

在三维空间中，直线与平面的位置关系如表 3.6 所示.

表 3.6　直线与平面的位置关系及其性质

位置关系	性　质
直线在平面内	直线与平面有无数个交点
相交	直线与平面有且只有一个交点
平行	直线与平面没有交点

直线与平面的位置关系的判断：

若有一条直线 $L_1: \dfrac{x-x_0}{l}=\dfrac{y-y_0}{m}=\dfrac{z-z_0}{n}$ 和一个平面 S：$Ax+By+Cz+D=0$，即直线 L_1 的方向向量为 $\vec{s}=(l,m,n)$，平面 S 的法向量为 $\vec{n}=(A,B,C)$，那么

① 当 $\vec{s}\perp\vec{n}$ 时，有 $\vec{s}\cdot\vec{n}=0$，即 $Al+Bm+Cn=0$，且 $Ax_0+By_0+Cz_0+D\neq 0$，故 $L_1 // S$.

② 当 $\vec{s}\perp\vec{n}$ 时，有 $\vec{s}\cdot\vec{n}=0$，即 $Al+Bm+Cn=0$，且 $Ax_0+By_0+Cz_0+D=0$，故 $L_1\subset S$.

③ 当 $\vec{s}//\vec{n}$ 时，有 $\dfrac{A}{l}=\dfrac{B}{m}=\dfrac{C}{n}$，即 $L_1\perp S$.

④ 当 $Al+Bm+Cn\neq 0$ 且 $\dfrac{A}{l}\neq\dfrac{B}{m}\neq\dfrac{C}{n}$ 时，L_1 与 S 相交但不垂直.

直线与平面相交时的夹角：

若有一条直线 $L: \dfrac{x-x_0}{l}=\dfrac{y-y_0}{m}=\dfrac{z-z_0}{n}$ 和一个平面 $\Pi: Ax+By+Cz+D=0$ 相交，且 L 与 Π 的夹角为 θ，则

$$\sin\theta=\frac{|Al+Bm+Cn|}{\sqrt{A^2+B^2+C^2}\sqrt{l^2+m^2+n^2}}.$$

3. 平面及其方程

1）空间中平面方程的基本形式

（1）点法式：若 $\vec{n}=(A,B,C)$ 为平面的法向量，$P=(x_0,y_0,z_0)$ 为平面上的任意一点，则平面方程为 $A(x-x_0)+B(y-y_0)+C(z-z_0)=0$.

（2）一般式：$Ax+By+Cz+D=0$（A,B,C为不全为零的常数）.

（3）三点式：空间中不共线的三点可以确定一个平面，设$P_1=(x_1,y_1,z_1)$，$P_2=(x_2,y_2,z_2)$，$P_3=(x_3,y_3,z_3)$，则过这三点所确定的平面方程为

$$\begin{vmatrix} x-x_1 & y-y_1 & z-z_1 \\ x_2-x_1 & y_2-y_1 & z_2-z_1 \\ x_3-x_1 & y_3-y_1 & z_3-z_1 \end{vmatrix}=0 .$$

（4）截距式：方程$\dfrac{x}{a}+\dfrac{y}{b}+\dfrac{z}{c}=1$（$a\cdot b\cdot c\neq 0$）称为平面的截距式方程，其中$a,b,c$分别为平面在$x,y,z$三个坐标轴上的截距.

2）平面与平面的位置关系

在三维空间中，两平面的位置关系有平行、重合、相交三种.

平面与平面位置关系的判定：

若有平面Π_1：$A_1x+B_1y+C_1z+D_1=0$和平面Π_2：$A_2x+B_2y+C_2z+D_2=0$，Π_1和Π_2两个平面的法向量分别为$\vec{n}=(A_1,B_1,C_1)$和$\vec{m}=(A_2,B_2,C_2)$，则

① 当$\vec{n}//\vec{m}$时，即$\dfrac{A_1}{A_2}=\dfrac{B_1}{B_2}=\dfrac{C_1}{C_2}\neq\dfrac{D_1}{D_2}$，两平面平行.

② 当$\vec{n}//\vec{m}$时，即$\dfrac{A_1}{A_2}=\dfrac{B_1}{B_2}=\dfrac{C_1}{C_2}=\dfrac{D_1}{D_2}$，两平面重合.

③ 当$\vec{n}\perp\vec{m}$时，即$A_1A_2+B_1B_2+C_1C_2=0$，两平面垂直.

④ 当$\dfrac{A_1}{A_2}\neq\dfrac{B_1}{B_2}\neq\dfrac{C_1}{C_2}$且$A_1A_2+B_1B_2+C_1C_2\neq 0$时，两平面相交但不垂直.

两相交平面的夹角：

若有平面Π_1：$A_1x+B_1y+C_1z+D_1=0$和平面Π_2：$A_2x+B_2y+C_2z+D_2=0$，Π_1与Π_2的夹角为θ，则

$$\cos\theta=\frac{|A_1A_2+B_1B_2+C_1C_2|}{\sqrt{A_1^2+B_1^2+C_1^2}\sqrt{A_2^2+B_2^2+C_2^2}} .$$

二、真题解析

例 1 （2017 年上初级中学）空间直线L_1：$\begin{cases} x-2y+2z=0 \\ 3x+2y=6 \end{cases}$与$L_2$：

$\begin{cases} x+2y-z=11 \\ 2x+z=14 \end{cases}$，它们的位置关系是（　　）.

A. L_1与L_2垂直　　　　B. L_1与L_2相交，但不一定垂直

C. 为异面直线　　　　D. L_1与L_2平行

答案为 D.

解析　本题考查空间直线的方向向量知识点.

不妨设L_1与L_2的方向向量分别为$\overrightarrow{n_1}$和$\overrightarrow{n_2}$，根据题意可得

$$\begin{vmatrix} \vec{i} & \vec{j} & \vec{k} \\ 1 & -2 & 2 \\ 3 & 2 & 0 \end{vmatrix} = -4\vec{i}+6\vec{j}+8\vec{k}，\therefore \overrightarrow{n_1}=(-4,6,8).$$

又$\begin{vmatrix} \vec{i} & \vec{j} & \vec{k} \\ 1 & 2 & -1 \\ 2 & 0 & 1 \end{vmatrix} = 2\vec{i}-3\vec{j}-4\vec{k}$，$\therefore \overrightarrow{n_2}=(2,-3,4)$.

$\because \dfrac{-4}{2}=\dfrac{6}{-3}=\dfrac{8}{-4}$，$\therefore \overrightarrow{n_1}//\overrightarrow{n_2} \Rightarrow L_1//L_2$.

故选择 D.

例 2　（2014 年下高级中学）在空间直角坐标系下，试判断直线L：$\begin{cases} 2x+y+z-1=0 \\ x+2y-z-2=0 \end{cases}$与平面$\Pi$：$3x-y+2z-1=0$的位置关系，并求出直线$L$与平面$\Pi$的夹角的正弦值.

解析　本题考查直线与平面的位置关系知识点.

由已知条件得，平面Π的法向量为$\vec{n}=(3,-1,2)$. 又

$$\begin{vmatrix} \vec{i} & \vec{j} & \vec{k} \\ 2 & 1 & 1 \\ 1 & 2 & -1 \end{vmatrix} = -3\vec{i}+3\vec{j}+3\vec{k},$$

所以直线L的方向向量为$\vec{s}=(-3,3,3)$.

因为$\vec{s}\cdot\vec{n}=(-3)\times3+3\times(-1)+3\times2=-6\neq0$，所以直线$L$与平面$\Pi$相交.

不妨设L与Π的夹角为θ，则

$$\sin\theta=\left|\cos<\vec{s}\cdot\vec{n}>\right|=\left|\frac{\vec{s}\cdot\vec{n}}{\left|\vec{s}\right|\left|\vec{n}\right|}\right|=\left|\frac{-6}{\sqrt{14}\sqrt{27}}\right|=\frac{\sqrt{42}}{21},$$

故夹角的正弦值为 $\frac{\sqrt{42}}{21}$.

例 3 （2017 年上初级中学）已知抛物面方程 $2x^2+y^2=z$.

（1）求抛物面上点 $M(1,1,3)$ 处的切平面方程；

（2）当 k 为何值时，所求切平面与平面 $3x+ky-4z=0$ 相互垂直.

解析 （1）不妨设 $F(x,y,z)=2x^2+y^2-z^2$，则

$$F_x'(x,y,z)=4x,\quad F_y'(x,y,z)=2y,\quad F_z'(x,y,z)=-1.$$

把 $M(1,1,3)$ 代入，得

$$F_x'(1,1,3)=4,\quad F_y'(1,1,3)=2,\quad F_z'(1,1,3)=-1,$$

所以所求切平面的法向量为 $\vec{m}=(4,2,-1)$，故所求切平面方程为

$$4(x-1)+2\left(y-1\right)-\left(z-3\right)=0$$

$$\Rightarrow 4x+2y-z-3=0.$$

（2）根据第（1）小题可知，切平面的法向量是 $\vec{m}=(4,2,-1)$，而平面 $3x+ky-4z=0$ 的法向量是 $\vec{n}=(3,k,-4)$，根据题意得

$$\vec{m}\cdot\vec{n}=0\Rightarrow 4\times3+2k+(-1)\times(-4)=0\Rightarrow k=-8.$$

例 4 （2016 年下高级中学）已知直线 L 的方程为 $\begin{cases}x+y-z+2=0\\3x+5y-2z+5=0\end{cases}$，平面 Π 的方程为 $2x+8y+z+3=0$，则直线 L 与平面 Π 的位置关系是（　　）.

A. 平行　　　　　　B. 直线在平面内

C. 垂直　　　　　　D. 相交但不垂直

答案为 A.

解析 本题考查直线与平面的位置关系知识点.

由已知条件得，平面 Π 的法向量为 $\vec{n}=(2,8,1)$．又

$$\begin{vmatrix} \vec{i} & \vec{j} & \vec{k} \\ 1 & 1 & -1 \\ 3 & 5 & -2 \end{vmatrix} = 3\vec{i}-\vec{j}+2\vec{k}，$$

所以直线 L 的方向向量为 $\vec{m}=(3,-1,2)$．

由 $\vec{m}\vec{n}=3\times2+(-1)\times8+2\times1=0$ 知，向量 $\vec{m}\perp\vec{n}$，所以直线 L 与平面 Π 平行.

例 5 （2019 年上初级中学）试判断过点 $P_1(2,0,1)$，$P_2(4,3,2)$，$P_3(-2,1,1)$ 的平面 Π 与平面 $\frac{1}{2}x+2y-7z+3=0$ 的位置关系，并写出一个与平面 Π 垂直的平面方程.

解析 本题考查平面与平面的位置关系及平面方程.

由题意知 P_1,P_2,P_3 不共线，故这三点可以确定一个平面，且所求平面 Π 的平面方程为

$$\begin{vmatrix} x-2 & y-0 & z-1 \\ 4-2 & 3-0 & 2-1 \\ -2-2 & 1-0 & 1-1 \end{vmatrix} = 0，$$

化简得

$$-x-4y+14z-12=0．$$

记平面 Π 与平面 $\frac{1}{2}x+2y-7z+3=0$ 的法向量分别为 $\vec{n_1},\vec{n_2}$，则 $\vec{n_1}=(-1,-4,14)$，$\vec{n_2}=(1/2,2,-7)$，由于 $\frac{-1}{1/2}=\frac{-4}{2}=\frac{14}{-7}=-2\neq0$，所以两个平面平行.

设与平面 Π 垂直的平面方程为 $Ax+By+Cz+D=0$，则有

$$(-1,-4,14)\cdot(A,B,C)=-A-4B+14C=0，$$

任意找到一组满足方程的数 $(-6,-2,-1)$，其所组成的向量即所求平面的法向量. 不妨取 $D=1$，则所求平面方程可记为 $-6x-2y-z+1=0$．

例 6 （2019 年上高级中学）在空间直角坐标系下，试判定直线 $L_1:\begin{cases} x+y+1=0 \\ x+2y+z+2=0 \end{cases}$ 与直线 $L_2:\frac{x-1}{2}=\frac{y+1}{1}=\frac{z}{1}$ 的位置关系，并求这两条直线

间的距离.

解析 本题考查空间直线与直线的位置关系及异面直线间的距离计算.

由已知条件知，直线 L_1, L_2 的方向向量分别为

$$\vec{s_1} = \begin{vmatrix} \vec{i} & \vec{j} & \vec{k} \\ 1 & 1 & 0 \\ 1 & 2 & 1 \end{vmatrix} = \vec{i} - \vec{j} + \vec{k} = (1,-1,1)\text{，}\quad \vec{s_2} = (2,1,1)\text{，}$$

则
$$\vec{s_1} \times \vec{s_2} = \begin{vmatrix} \vec{i} & \vec{j} & \vec{k} \\ 1 & -1 & 1 \\ 2 & 1 & 1 \end{vmatrix} = -2\vec{i} + \vec{j} + 3\vec{k} = (-2,1,3)\,.$$

在直线 L_1, L_2 上分别取两点 $M_1 = (0,-1,0), M_2 = (1,-1,0)$，则 $\overrightarrow{M_1M_2} = (1,0,0)$. 又 $(\vec{s_1} \times \vec{s_2}) \cdot \overrightarrow{M_1M_2} = -2 \neq 0$，则可判断向量 $\vec{s_1} \times \vec{s_2}$ 与向量 $\overrightarrow{M_1M_2}$ 不在一个平面上，即直线 L_1, L_2 异面.

不妨设直线 L_1, L_2 间的距离为 d，则 d 应为向量 $\overrightarrow{M_1M_2}$ 在向量 $\vec{s_1} \times \vec{s_2}$ 上的投影，所以

$$d = \left| \frac{(\vec{s_1} \times \vec{s_2}) \cdot \overrightarrow{M_1M_2}}{\left|\vec{s_1} \times \vec{s_2}\right|} \right| = \frac{|-2|}{\sqrt{14}} = \frac{\sqrt{14}}{7}\,.$$

三、常考点同步练习

例 7 若有空间直线 $L_1: \begin{cases} x+y+z-1=0 \\ x+y+2z+1=0 \end{cases}$ 和直线 $L_2: \begin{cases} 2x+y+1=0 \\ y+3z+2=0 \end{cases}$，它们的位置关系是?

解析 两条直线的位置关系，可以借助两条直线的方向向量之间的关系来判定.

设两条直线 L_1 与 L_2 的方向向量分别为 $\vec{s_1}$ 和 $\vec{s_2}$，则

$$\vec{s_1} = \begin{vmatrix} \vec{i} & \vec{j} & \vec{k} \\ 1 & 1 & 1 \\ 1 & 1 & 2 \end{vmatrix} = \vec{i} - \vec{j} = (1,-1,0)\text{，}\quad \vec{s_2} = \begin{vmatrix} \vec{i} & \vec{j} & \vec{k} \\ 2 & 1 & 0 \\ 0 & 1 & 3 \end{vmatrix} = 3\vec{i} - 6\vec{j} + 2\vec{k} = (3,-6,2)$$

因为 $\dfrac{1}{3} \neq \dfrac{-1}{-6} \neq \dfrac{0}{2}$ 且 $\vec{s_1} \cdot \vec{s_2} \neq 0$，所以 L_1 与 L_2 相交但不垂直.

例 8 设直线 L：$\begin{cases}2x-4y+z-1=0\\ x+3y+5z=0\end{cases}$，求过直线 L 且平行于 z 轴的平面方程.

解析 由题意可知，本题可以利用点法式求解平面方程.

直线 L 的方向向量为 $\vec{n}$，因为

$$\begin{vmatrix}\vec{i} & \vec{j} & \vec{k}\\ 2 & -4 & 1\\ 1 & 3 & 5\end{vmatrix}=-23\vec{i}-9\vec{j}+10\vec{k},$$

所以 $\vec{n}=(-23,-9,10)$. 设所求平面的法向量为 $\vec{m}=(x,y,z)$，记 z 轴的方向向量为 $\vec{r}=(0,0,1)$. 由题意得

$$\begin{cases}\overrightarrow{mn}=0\\ \overrightarrow{mr}=0\end{cases}\Rightarrow\begin{cases}-23x-9y+10z=0\\ z=0\end{cases}$$

所以 $\vec{m}=(9,-23,0)$，又平面过点 $\left(\frac{3}{10},-\frac{1}{10},0\right)$，故所求平面方程为

$$9\left(x-\frac{3}{10}\right)-23\left(y+\frac{1}{10}\right)=0\Rightarrow 9x-23y-5=0.$$

例 9 设平面 Π：$3x-4y+z-10=0$ 和直线 L：$\frac{x+1}{3}=\frac{y-3}{1}=\frac{z}{2}$，求经过 $M_0(-1,0,4)$ 且垂直于平面 Π 以及平行于直线 L 的平面方程.

解析 解决本题的关键是理清楚直线与直线间的位置关系以及直线与平面间的位置关系，以及它们与各自方向向量、法向量之间的关系.

由题意得 Π 的法向量为 $\vec{m}=(3,-4,1)$，L 的方向向量为 $\vec{n}=(3,1,2)$. 又

$$\begin{vmatrix}\vec{i} & \vec{j} & \vec{k}\\ 3 & -4 & 1\\ 3 & 1 & 2\end{vmatrix}=-9\vec{i}-3\vec{j}+15\vec{k},$$

所以所求平面的法向量为 $\overrightarrow{m_1}=(-9,-3,15)$.

因为所求平面过点 $M_0(-1,0,4)$，故所求平面的方程为

$$-9(x+1)-3y+15(z-4)=0.$$

核心考点三　曲线、曲面及其方程

一、重要知识点

1. 曲线

1）曲线及其方程

定义 1　（一般方程的定义）设有曲面 $F(x,y,z)=0$ 和曲面 $G(x,y,z)=0$ 这两个曲面方程，不妨记它们相交部分的曲线为 C，则曲线 C 上每一个点都满足方程组 $\begin{cases}F(x,y,z)=0\\G(x,y,z)=0\end{cases}$. 因此，曲线 C 可以用该方程组来表示，且称这个方程组为空间曲线 C 的一般方程.

定义 2　（参数方程的定义）一般地，在空间直角坐标系中，如果曲线满足

$$\begin{cases}x=x(t)\\y=y(t)\quad(\alpha\leqslant t\leqslant\beta)\\z=z(t)\end{cases},$$

其中 t 为参变量，那么上式就叫作曲线的参数方程.

2）曲线的切线

设有曲线 C： $y=f(x)$，在曲线 C 上有点 $P=(a,f(a))$，且 $f(x)$ 的导函数 $f'(x)$ 存在，则有

（1）以点 P 为切点的切线方程为 $y-f(a)=f'(a)(x-a)$.

（2）若过点 P 另有曲线 C 的切线，切点为 $Q(b,f(b))$，则切线方程为 $y-f(a)=f'(b)(x-a)$，或 $y-f(b)=f'(b)(x-b)$.

2. 曲面及其方程

《数学学科知识》考试大纲中，空间解析几何这一部分知识涉及的曲面方程有很多，常见的曲面及其方程如表 3.7 所示.

表 3.7　常见的曲面方程

曲面名称	曲面方程
球面	$x^2+y^2+z^2=a^2$
柱面	$x^2+y^2=a^2$
圆锥面	$\dfrac{x^2+y^2}{a^2}-\dfrac{z^2}{c^2}=0$
单叶双曲面	$\dfrac{x^2}{a^2}+\dfrac{y^2}{b^2}-\dfrac{z^2}{c^2}=1$
双叶双曲面	$\dfrac{x^2}{a^2}+\dfrac{y^2}{b^2}-\dfrac{z^2}{c^2}=-1$
椭圆抛物面	$\dfrac{x^2}{a}+\dfrac{y^2}{b}=2z$
双曲抛物面	$\dfrac{x^2}{a}-\dfrac{y^2}{b}=2z$
椭球面	$\dfrac{x^2}{a^2}+\dfrac{y^2}{b^2}+\dfrac{z^2}{c^2}=1$

3. 曲面的切平面及其方向向量

定义 3（曲面的切平面定义）在曲面 $F(x,y,z)=0$ 上任取一点 $M(x_0,y_0,z_0)$，则过点 $M(x_0,y_0,z_0)$ 的曲线在点 $M(x_0,y_0,z_0)$ 的切线构成的平面 π 称为曲面 $F(x,y,z)=0$ 在点 $M(x_0,y_0,z_0)$ 的切平面.

定理 1　若有函数 $F=f(x,y,z)$，则向量 $\vec{s}$ 满足以下条件：

（1）点 (x_0,y_0,z_0) 在函数 $F=f(x,y,z)$ 上，并且函数 $F=f(x,y,z)$ 在点 (x_0,y_0,z_0) 可导；

（2）向量 $\vec{s}=(f_x'(x,y,z),f_y'(x,y,z),f_z'(x,y,z))$，

则称向量 $\vec{s}$ 为曲面 $F=f(x,y,z)$ 在点 (x_0,y_0,z_0) 的法向量.

定理 2　若函数 $z=f(x,y)$ 满足以下条件：

（1）函数 $z=f(x,y)$ 在点 (x_0,y_0) 可导；

（2）点 $M_0(x_0,y_0,z_0)$ 是曲面 $z=f(x,y)$ 上的一点，

则称方程 $z=z_0+f_x'(x_0,y_0)(x-x_0)+f_y'(x_0,y_0)(y-y_0)$ 为曲面 $z=f(x,y)$ 在点 $M_0(x_0,y_0,z_0)$ 处的切平面方程.

二、真题解析

例 1 （2019 年上初、高级中学）在空间直角坐标系中，由参数方程 $\begin{cases} x = a\cos^2 t \\ y = a\sin^2 t \\ z = a\sin 2t \end{cases}$ $(0 \leqslant t \leqslant 2\pi)$ 所确定的曲线的一般方程是（　　）.

A. $\begin{cases} x + y = a \\ z^2 = 2xy \end{cases}$　　B. $\begin{cases} x + y = a \\ z^2 = 4xy \end{cases}$

C. $\begin{cases} x^2 + y^2 = a^2 \\ z^2 = 2xy \end{cases}$　　D. $\begin{cases} x^2 + y^2 = a^2 \\ z^2 = 4xy \end{cases}$

答案为 B.

解析　本题考查空间曲线方程知识点.

由已知条件 $\begin{cases} x = a\cos^2 t \\ y = a\sin^2 t \\ z = a\sin 2t \end{cases}$，得

$$z^2 = (a\sin 2t)^2 = 4a^2\sin^2 t\cos^2 t = 4xy，\quad x + y = a\cos^2 t + a\sin^2 t = a,$$

故原参数方程可化为一般方程 $\begin{cases} x + y = a \\ z^2 = 4xy \end{cases}$，所以选 B.

例 2 （2014 年下高级中学）在空间直角坐标系中，由参数方程 $\begin{cases} x = \sin\theta \\ y = -1 + \cos\theta \\ z = 2\sin\dfrac{\theta}{2} \end{cases}$ $\left(0 \leqslant \theta < \dfrac{\pi}{4}\right)$ 确定的曲线的一般方程是（　　）..

A. $\begin{cases} x^2 + 2y = 0 \\ x^2 + 2y + z^2 = 0 \end{cases}$　　B. $\begin{cases} x^2 + y^2 = 0 \\ y^2 + z^2 + 2z = 0 \end{cases}$

C. $\begin{cases} x^2 + y^2 + 2y = 0 \\ z^2 + 2y = 0 \end{cases}$　　D. $\begin{cases} x^2 + 2x + y^2 = 0 \\ y^2 + 2z = 0 \end{cases}$

答案为 C.

解析 由题意得$\begin{cases} x=\sin\theta \\ y=-1+\cos\theta \end{cases}$，消去$\theta$，解得$x^2+y^2+2y=0$.

同理，由题意得$\begin{cases} y=-1+\cos\theta \\ z=2\sin\dfrac{\theta}{2} \end{cases}$，消去$\theta$，解得$z^2+2y=0$.

例 3 （2014 年上高级中学）曲线$y=x^3+2x-1$在点$(1,2)$处的切线方程为（ ）.

A. $5x-y-3=0$　　　　B. $14x-y-12=0$

C. $5x+y-3=0$　　　　D. $14x+y-12=0$

答案为 A.

解析 由题意知

$$y=x^3+2x-1 \Rightarrow y'=3x^2+2,$$

把点$(1,2)$代入上式，得切线的斜率

$$k=3\times1+2=5,$$

故切线方程为

$$y-2=5\times(x-1) \Rightarrow 5x-y-3=0.$$

故选择 A.

例 4 （2016 年上高级中学）方程$x^2-y^2+z^2=-1$，所确定的二次曲面是（ ）.

A. 椭球面　　　　B. 旋转双曲面

C. 旋转抛物面　　　　D. 圆柱面

答案为 B.

解析 本题考查曲面方程知识点.

方程$x^2-y^2+z^2=-1$可以看成$\dfrac{x^2}{1^2}-\dfrac{y^2}{1^2}+\dfrac{z^2}{1^2}=-1$，而双叶双曲面的方程是$\dfrac{x^2}{a^2}+\dfrac{y^2}{b^2}-\dfrac{z^2}{c^2}=-1$，显然$x^2-y^2+z^2=-1$属于双叶双曲面方程，即方程$x^2-y^2+z^2=-1$为旋转双曲面，故选择 B.

例 5 （2018 年上初级中学）求二次曲面$3x^2-2y^2+z^2=20$过点$(1,2,5)$

的切平面的法向量.

解析 假设 $F(x,y,z)=3x^2-2y^2+z^2-20$，则

$$F_x'(x,y,z)=6x\text{，}\quad F_y'(x,y,z)=-4y\text{，}\quad F_z'(x,y,z)=2z\,.$$

把点 $(1,2,5)$ 代入以上方程，得

$$F_x'(1,2,5)=6\text{，}\quad F_y'(1,2,5)=-8\text{，}\quad F_z'(1,2,5)=10\text{，}$$

故所求平面的法向量为 $\vec{m}=(6,-8,10)$.

例 6 （2017 年上高级中学）母线平行于 x 轴且通过曲线 $\begin{cases}2x^2+y^2+z^2=16\\ x^2-y^2+z^2=0\end{cases}$ 的柱面方程是（　）.

A. 椭圆柱面 $3x^2+2z^2=16$　　　B. 椭圆柱面 $x^2+2y^2=16$

C. 双曲柱面 $3y^2-z^2=16$　　　D. 双曲柱面 $y^2-2z^2=16$

答案为 C.

解析 因为所求柱面的母线平行于 x 轴，所以柱面方程里不含 x 变量，将曲线方程消去变量 x 得 $3y^2-z^2=16$，所以答案为 C.

三、常考点同步练习

例 7 求空间曲线 $L:\begin{cases}x^2+y^2+z^2=4\\ x+y+z=1\end{cases}$ 的参数方程.

解析 令 $x^2+y^2=4\cos^2 t$，$z^2=4\sin^2 t$，则

$$\begin{cases}x=2\cos t\cos u\\ y=2\cos t\sin u\,.\\ z=2\sin t\end{cases}$$

由 $x+y+z=1$，即 $2\cos t(\cos u+\sin u)+2\sin t=1$，得

$$\cos u+\sin u=\frac{0.5-\sin t}{\cos t}\Rightarrow \sin\left(u+\frac{\pi}{4}\right)=\frac{0.5-\sin t}{\sqrt{2}\cos t}\text{，}$$

故

$$u=\arcsin\frac{0.5-\sin t}{\sqrt{2}\cos t}-\frac{\pi}{4}.$$

上式即为t的参数方程.

例 8 设曲线$L:y=x^4$和直线$l:x+4y-8=0$，已知l_1是曲线$L:y=x^4$上的一条切线，且与直线$l:x+4y-8=0$垂直，求l_1的方程.

解析 不妨设l和l_1的斜率分别为k_1和k_2，由题意可得

$$\begin{cases} k_1=-\dfrac{1}{4} \\ k_1k_2=1 \end{cases} \Rightarrow k_2=4.$$

又$y'=4x^3$，则$4x^3=4$，得$x=1$. 把$x=1$代入$y=x^4$，得$y=1$.

所以l_1为曲线$L:y=x^4$上过点$(1,1)$的切线.

故所求切线方程为

$$y-1=4(x-1).$$

例 9 曲面方程：$\dfrac{y^2}{2}+\dfrac{x^2}{2}-3z=0$，则其方程名称为（ ）.

A. 球面　　　　B. 柱面

C. 椭圆抛物面　　　　D. 椭球面

答案为 C.

解析 方程$\dfrac{y^2}{2}+\dfrac{x^2}{2}-3z=0$可化成$\dfrac{y^2}{2}+\dfrac{x^2}{2}=3z$，而椭圆抛物面的方程为$\dfrac{x^2}{a}+\dfrac{y^2}{b}=2z$，所以方程$\dfrac{y^2}{2}+\dfrac{x^2}{2}-3z=0$为椭圆抛物面方程，故选择 C.

例 10 设曲面方程：$x^2+y^2+z^2-2x+8y+6z=10$，则过曲面上点$(5,-2,1)$的切平面方程为（ ）.

A. $2x+y+2z=0$　　　　B. $2x+y+2z=10$

C. $x-2y+6z=15$　　　　D. $x-2y+6z=0$

答案为 B.

解析 设球面的方程为$x^2+y^2+z^2+2px+2qy+2rz+d=0$，则通过球面上的一点$(x_0,y_0,z_0)$的切平面方程为

$$x_0x+y_0y+z_0z+p(x+x_0)+q(y+y_0)+r(z+z_0)+d=0.$$

又由于$x^2+y^2+z^2-2x+8y+6z=10$，通过比较系数知$p=-1,q=4,r=3,d=-10$，所以通过点$(5,-2,1)$的切平面方程是$2x+y+2z=10$，故选择 B.

第 4 章　概率论与数理统计

本章归纳和整理《数学学科知识与教学能力》概率与统计这部分的历年真题，根据考试大纲提炼出高频核心考点，并给出大量同步练习和相关复习建议，为考生的备考提供力所能及的帮助.

考点统计与分析

《数学学科知识与教学能力》历年真题中概率与统计部分的知识点的考查情况统计如表 4.1 所示.

表 4.1　2014—2019 年数学学科知识中“概率论与数理统计”考点

时间		题型	知识点	题量		分值	
				各题型题量	题量	各题型分值	总分值
2014（初、高）	上半年	简答题	几何概型	1	1	7	7
	下半年	解答题	古典概型	1	1	10	10
2015（初、高）	上半年	简答题	古典概型	1	1	7	7
	下半年	选择题	数量统计的基概念	1	1	5	5
2016（初、高）	上半年	简答题	独立事件	1	1	7	7
	下半年	选择题	方差	1	2	5	12
		简答题	变异系数 正态分布	1		7	
2017（初、高）	上半年	选择题	条件概率	1	2	5	12
		简答题	古典概型 二项分布	1		7	

续表

<table>
<tr><th colspan="2" rowspan="2">时间</th><th rowspan="2">题型</th><th rowspan="2">知识点</th><th colspan="2">题量</th><th colspan="2">分值</th></tr>
<tr><th>各题型题量</th><th>题量</th><th>各题型分值</th><th>总分值</th></tr>
<tr><td rowspan="2">2017
（初、高）</td><td rowspan="2">下半年</td><td>选择题</td><td>正态分布</td><td>1</td><td rowspan="2">2</td><td>5</td><td rowspan="2">12</td></tr>
<tr><td>简答题</td><td>贝叶斯公式</td><td>1</td><td>7</td></tr>
<tr><td rowspan="2">2018
（初、高）</td><td>上半年</td><td>选择题</td><td>几何概型</td><td>1</td><td>1</td><td>5</td><td>5</td></tr>
<tr><td>下半年</td><td>简答题</td><td>连续型随机变量的分布函数</td><td>1</td><td>1</td><td>10</td><td>10</td></tr>
<tr><td>2019
（初、高）</td><td>上半年</td><td>教学设计</td><td>随机抽样</td><td>1</td><td>2</td><td>30</td><td>30</td></tr>
</table>

2014—2019 年真题中“概率论与数理统计”常考点及其出现的频数和考查题型如表 4.2、图 4.1 所示.

表 4.2　2014—2019 年“概率论与数理统计”常考点及其出现的频数和考查题型

序号	知识点名称	出现的频数	考查题型
1	几何概型	2	选择题、简答题
2	古典概型	3	解答题、简答题
3	数量统计的基本概念	1	选择题
4	独立事件	1	简答题
5	方差	1	选择题
6	变异系数	1	简答题
7	正态分布	2	选择题、简答题
8	条件概率	1	选择题
9	二项分布	1	简答题
10	贝叶斯公式	1	简答题
11	分布函数	1	简答题
12	随机抽样	1	教学设计

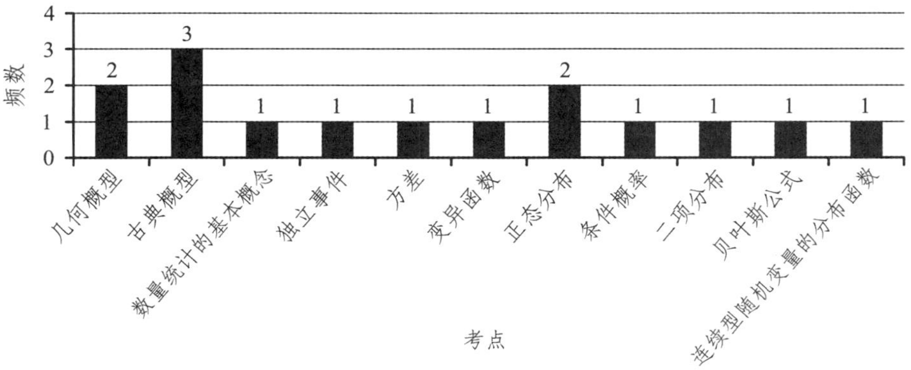

图 4.1　2014—2019 年考点及考点出现的频数统计

从表 4.1、表 4.2、图 4.1 可知，从历年真题来看，教师资格证考试中学科知识这门课的“概率与统计”部分主要集中考查以下方面的知识：古典概型、数量统计的概念、方差、正态分布、二项分布、条件概率、贝叶斯公式和分布函数等，考查范围较广. 其中，古典概型为高频核心考点，出现频数达到 3 次，其他知识点的考查频率分布比较均匀，大多数知识点只出现 1 次，故本门课程应全面复习，重点突破，不能以偏概全.

核心考点一　随机事件的概率

一、重要知识点

1. 古典概型

若一个试验只有有限个样本点，且每个样本点出现的可能性相等，则称这样的试验为古典概型. 其计算公式为

$$P(A)=\frac{k}{n},$$

其中，k 为 A 中的基本事件个数，n 为 Ω 中的基本事件总数.

注：古典概型的使用条件，即试验结果的有限性，所有结果是等可能出现的.

2. 几何概型

若样本空间 Ω 为一个可以度量的几何区域，且在 Ω 内每个事件发生是等可能的，则称这样的试验为几何概型. 其计算公式为

$$P(A)=\frac{l}{\Delta},$$

其中，l 为构成事件 A 的区域长度（或者面积、体积等），Δ 为事件全部结果所构成的区域长度（或者面积、体积等）.

二、真题解析

例 1 （2014 年下高级中学）袋子中有 70 个红球、30 个黑球，从口袋中连续摸球两次，每次摸一个球，而且是不放回地摸球.

（1）求两次摸球均为红球的概率；

（2）若第一次摸到红球，求第二次摸到黑球的概率.

解析 本题考查古典概型知识点.

（1）设第一次摸到红球的概率为 P，则 $P=\frac{70}{100}=\frac{7}{10}$，因为是不放回地摸球，所以连续两次摸到红球的概率为

$$\begin{aligned}P_1&=P\cdot\frac{70-1}{100-1}=\frac{7}{10}\cdot\frac{69}{99}\\&=\frac{161}{330}\end{aligned}.$$

（2）若第一次摸到红球，则第二次摸到黑球的概率为

$$P_2=\frac{30}{100-1}=\frac{30}{99}=\frac{10}{33}.$$

例 2 （2015 年上高级中学）某人从 A 处开车到 D 处上班，若各路段发生堵车事件是相互独立的，发生堵车的概率如图 4.2 所示（例如路段 AC 发生堵车的概率是 $\frac{1}{10}$）. 请选择一条由 A 到 D 的路线，使得发生堵车的概率最小，并计算此概率.

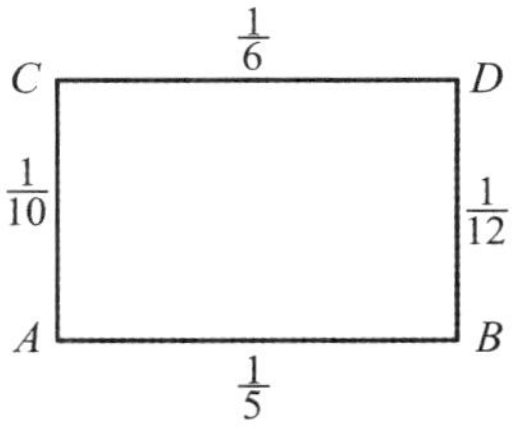

图 4.2

解析　由题意知，从 A 到 D 有两条路线：$A\to C\to D$ 和 $A\to B\to D$，设两条路线堵车的概率分别为 P_1,P_2.

方法一：

$$P_1=\frac{1}{10}\times\frac{1}{6}+\frac{1}{10}\times\frac{5}{6}+\frac{9}{10}\times\frac{1}{6}=\frac{1}{4}，\quad P_2=\frac{1}{5}\times\frac{1}{12}+\frac{1}{5}\times\frac{11}{12}+\frac{4}{5}\times\frac{1}{12}=\frac{4}{15}\quad .$$

方法二：

$$P_1=1-\left(1-\frac{1}{10}\right)\times\left(1-\frac{1}{6}\right)=\frac{1}{4}，\quad P_2=1-\left(1-\frac{1}{5}\right)\times\left(1-\frac{1}{12}\right)=\frac{4}{15}.$$

综上可知，$P_1<P_2$，故从 A 到 D 走线路 $A\to C\to D$ 堵车的概率最小，此概率为 $\frac{1}{4}$.

例 3　（2018 年上初、高级中学）边长为 4 的正方体木块，各面均涂成红色，将其锯成 64 个边长为1的小正方体，将他们搅拌均匀混在一起，随机取出一个小正方体，恰有两面为红色的概率是（　　）.

A. $\frac{3}{8}$　　B. $\frac{1}{8}$　　C. $\frac{9}{16}$　　D. $\frac{3}{16}$

答案为 A.

解析　根据题意知，正方体木块一共有12 条棱，且每条棱上有 2 个面被涂成红色的小正方体个数为 2，故一共有 24 个小正方体恰有两面被涂成红色，其对应的概率为 $P=\frac{24}{64}=\frac{3}{8}$.

例 4　（2014 年上高级中学）在区间 $[0,1]$ 中随机抽取两个数 X, Y，即 X, Y 服从 $[0,1]$ 上的均匀分布，求这两个数之差的绝对值小于 $\frac{1}{2}$ 的概率.

解析　由题意得

$$\begin{cases}0\leqslant x\leqslant 1\\0\leqslant y\leqslant 1\\0\leqslant |x-y|<\dfrac{1}{2}\end{cases}\Rightarrow\begin{cases}0\leqslant x\leqslant 1\\0\leqslant y\leqslant 1\\0<x-y<\dfrac{1}{2}\\x-y>-\dfrac{1}{2}\end{cases}\Rightarrow\begin{cases}0\leqslant x\leqslant 1\\0\leqslant y\leqslant 1\\0<x-y<\dfrac{1}{2},\\0<y-x<\dfrac{1}{2}\end{cases}$$

可作图（图 4.3）如下：

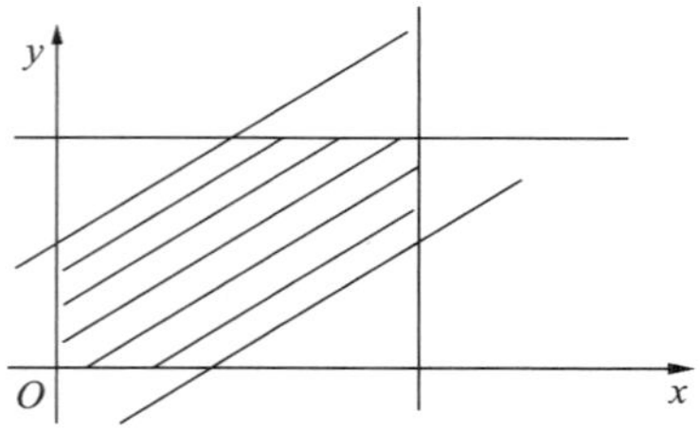

图 4.3

故
$$P\left(|x-y|<\frac{1}{2}\right)=\frac{S_{\text{阴影}}}{S_{\text{正方形}}}=\frac{1\times 1-\frac{1}{2}\times\frac{1}{2}}{1\times 1}=\frac{3}{4}.$$

三、常考点同步练习

例 5　已知吃某种热带水果过敏的概率为 0.8，现在有 5 人吃了该种水果，求至少有 3 人过敏的概率.

解析　不妨假设过敏的人数为 ξ，则 ξ 可能的取值为 3,4,5．又

$$P(\xi=3)=\mathrm{C}_5^3\times 0.8^3\times 0.2^2=0.204\,8,$$
$$P(\xi=4)=\mathrm{C}_5^4\times 0.8^4\times 0.2^1=0.409\,6,$$
$$P(\xi=5)=\mathrm{C}_5^5\times 0.8^5=0.327\,68,$$

故所求概率

$$P(\xi\geqslant 3)=P(\xi=3)+P(\xi=4)+P(\xi=5)=0.942\,08.$$

例 6　连续掷一枚均匀硬币 4 次，求出现两次正面和两次反面的概率.

解析　由题意知，连续掷一枚均匀硬币 4 次，设出现正面的次数为 ξ，

则 ξ 可能的取值为 $4,3,2,1,0$，对应的概率分别为 P_4,P_3,P_2,P_1,P_0，则所求概率

$$\begin{aligned}P_2&=1-(P_4+P_3+P_1+P_0)\\&=1-\left[\left(\frac{1}{2}\right)^4+C_4^3\times\left(\frac{1}{2}\right)^3\times\frac{1}{2}+C_4^1\times\frac{1}{2}\times\left(\frac{1}{2}\right)^3+\left(\frac{1}{2}\right)^4\right]\\&=1-\frac{5}{8}=\frac{3}{8}.\end{aligned}$$

例 7 某工厂生产服饰，假设每 9 件产品中有 7 件为合格品.从中不放回地任取 2 件，问取出的 2 件全是合格品、仅有 1 件合格品和没有合格品的概率各为多少？

解析 不妨设取出的 2 件全是合格品、仅有 1 件合格品和没有合格品的概率分别为 P_2,P_1,P_0，则所求概率

$$P_2=\frac{C_7^2}{C_9^2}=\frac{21}{36}=\frac{7}{12},\quad P_1=\frac{C_7^1C_2^1}{C_9^2}=\frac{14}{36}=\frac{7}{18},\quad P_0=\frac{C_2^2}{C_9^2}=\frac{1}{36}.$$

例 8 如图 4.4 所示，设 M 为正方形 $ABCD$ 的边 CD 的中点，现往 $ABCD$ 内垂直投大头针，则大头针落入三角形 ABM 内的概率等于（　　）.

A. $\frac{1}{4}$　　B. $\frac{1}{2}$　　C. $\frac{2}{3}$　　D. $\frac{1}{3}$

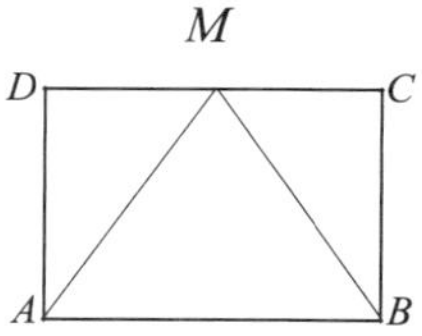

图 4.4

答案为 B.

解析 不妨设正方形的边长为 a，则由题意知所求概率

$$P=\frac{S_{\triangle ABM}}{S_{正方形ABCD}}=\frac{a^2-\left(\frac{1}{2}\times\frac{a}{2}\times a+\frac{1}{2}\times\frac{a}{2}\times a\right)}{a^2}=\frac{1}{2}.$$

核心考点二　随机事件的独立性与条件概率

一、重要知识点

1. 事件的独立性

若两个事件 A 与 B 满足关系 $P(AB)=P(A)P(B)$，则称事件 A 与 B 相互独立.

2. 互斥事件

互斥事件的概率：若事件 A 与事件 B 是互斥的，则 $P(A\cup B)=P(A)+P(B)$.

3. 条件概率

不妨设 A 与 B 为任意两个事件且 $P(A)>0$，事件 A 已经发生的条件下事件 B 发生的概率，简称条件概率，记作 $P(B\mid A)=P(AB)/P(A)$.

条件概率的乘法公式：

$$P(AB)=P(B\mid A)P(A)\quad (P(A)>0).$$

二、真题解析

例 1　（2017 年上初、高级中学）设 A 与 B 为任意两个事件，且 $A\subset B, P(B)>0$，则下列选项中正确的是（　　）.

A. $P(B)<P(A\mid B)$　　　　B. $P(A)\leqslant P(A\mid B)$

C. $P(B)>P(A\mid B)$　　　　D. $P(A)\geqslant P(A\mid B)$

答案为 B.

解析　由题意 $A\subset B$，得 $P(A)=P(AB)=P(A\mid B)P(B)$，又因为 $0<P(B)\leqslant 1$，所以 $P(A)\leqslant P(A\mid B)$，故答案为 B.

例 2　（2016 年上高级中学）在体育活动中，甲、乙两人掷一枚分别标有 $1,2,3,4,5,6$ 的质地均匀的骰子. 若结果为奇数，则甲跑一圈；若结果为 1 或 2，则乙跑一圈. 请回答甲跑一圈和乙跑一圈这两个事件是否独立，并说明理由.

解析　本题考查事件的独立性知识点.

不妨设甲跑一圈和乙跑一圈的事件分别为 A 与 B，则

$$P(A)=\frac{3}{6}=\frac{1}{2}，\quad P(B)=\frac{2}{6}=\frac{1}{3}.$$

若掷骰子的结果为 2，显然事件 A 与 B 相互独立；若掷骰子的结果为 1，则事件 A 与 B 同时发生，且 $P(AB)=\frac{1}{6}=\frac{1}{2}\times\frac{1}{3}=P(A)P(B)$. 综上知，事件 A 与 B 相互独立.

三、常考点同步练习

例 3　设随机变量 $\xi\sim B(2,p)$，$\eta\sim B(3,p)$. 若 $P(\xi\geqslant 1)=\frac{5}{9}$，试求 $P(\eta\geqslant 1)$.

解析　由题意知 $P(\xi=0)=1-P(\xi\geqslant 1)=\frac{4}{9}$，又因为 $P(\xi=0)=C_2^0p^0(1-p)^2=(1-p)^2$，所以 $(1-p)^2=\frac{4}{9}$，解得 $p=\frac{1}{3}$，即 $\eta\sim B\left(3,\frac{1}{3}\right)$，则

$$P(\eta\geqslant 1)=1-P(\eta=0)=1-\left(1-\frac{1}{3}\right)^3=\frac{19}{27}.$$

例 4　设 A 与 B 为独立事件，且 $P(A),P(B)$ 均大于零，则下面四个式子中不成立的是（　　）.

A. $P(B\mid A)>0$　　B. $P(A\mid B)=P(A)$

C. $P(A\mid B)=0$　　D. $P(AB)=P(A)P(B)$

答案为 C.

解析　因为事件 A 与 B 相互独立，且 $P(A),P(B)$ 均大于零，所以下列式子均成立：

$$P(AB)=P(A)P(B)，P(B\mid A)=\frac{P(BA)}{P(A)}=P(B)>0，P(A\mid B)=\frac{P(AB)}{P(B)}=P(A)>0.$$

故答案为 C.

例 5 某工厂生产一批连衣裙，一等品、二等品和三等品各占60%,35%,5%，现在从中任意取出一件，结果不是三等品，求取到的是一等品的概率.

解析 设“取出一等品、二等品、三等品”的事件分别为 A,B,C，则有

$$P(A)=0.6, P(B)=0.35, P(C)=0.05 .$$

$P(A|\bar{C})=\dfrac{P(A\bar{C})}{P(\bar{C})}=\dfrac{0.6}{1-0.05}=\dfrac{12}{19}$即为所求概率.

核心考点三　随机变量及其分布

一、重要知识点

1. 离散型随机变量的概率分布

定义 1 设ξ为离散型随机变量，若ξ的可能取值为 $x_i(i=1,2,3,\cdots)$，取值 x_i 对应的概率为 $P(\xi=x_i)=p_i$，则称 $P(\xi=x_i)=p_i(i=1,2,3,\cdots)$ 为随机变量ξ的分布律或分布列，简称分布.

定义 2 一个试验 E 只有两种可能的结果 A 和 $\bar{A}$，且 $P(A)=p,\ P(\bar{A})=1-p=q$，则把试验 E 在相同条件下独立重复地进行 n 次，每一次试验 A 出现的概率保持不变，所构成的新试验称作 n 重伯努利试验.

常用离散型随机变量如下：

1）二项分布 $B(n,p)$

若在一次试验中事件 A 出现的概率为 p，则在 n 重伯努利试验中事件 A 恰好出现 k 次的概率为 $\mathrm{C}_n^k p^k(1-p)^{n-k}$. 若记$\xi$为事件 A 出现的次数，则有

$$P(\xi=k)=\mathrm{C}_n^k p^k(1-p)^{n-k}\ \ (k=0,1,2,\cdots,n),$$

我们称随机变量ξ服从二项分布，记为 $\xi\sim B(n,p)$.

2）0−1分布

0−1分布也称 $B(1,p)$，即 $n=1$ 时的二项分布 $B(n,p)$，也称两点分布.

ξ	0	1
P	p	$1-p$

3）几何分布 $Ge(p)$

在伯努利试验中事件 A 发生的概率为 p，事件 A 不发生的概率为 $q=1-p\ (0<p<1)$，ξ 表示事件 A 首次出现需要试验的次数，则称 ξ 服从几何分布，记作 $\xi\sim Ge(p)$，对应的分布列为 $P(\xi=k)=pq^{k-1},k=1,2,\cdots$.

4）泊松分布 $P(\lambda)$

单位时间内的次数、单位体积内的次数或者单位面积内的次数等，若用 ξ 表示变量，ξ 的统计规律近似为 $P(\xi=k)=\dfrac{\lambda^k}{k!}\mathrm{e}^{-\lambda},k=0,1,2,\cdots(\lambda>0)$，则称 ξ 服从参数为 λ 的泊松分布，记作 $\xi\sim P(\lambda)$，对应的分布列为 $P(\xi=k)=\dfrac{\lambda^k}{k!}\mathrm{e}^{-\lambda},k=0,1,2,\cdots$.

2. 连续型随机变量的概率分布

定义 3 若随机变量 ξ 定义在样本空间 Ω 上，则称 ξ 为样本空间 Ω 上的随机变量，$F(x)=P(\xi\leqslant x),x\in(-\infty,+\infty)$ 为随机变量 ξ 的分布函数.

定义 4 若存在非负可积函数 $f(x)(-\infty<x<+\infty)$，使得对于任意实数 $x\in(-\infty,+\infty)$，有 $F(x)=P(\xi\leqslant x)=\int_{-\infty}^{x}f(t)\mathrm{d}t$，则称 $f(x)$ 为随机变量 ξ 的概率密度函数.

分布函数的性质如下：

（1）（单调性）对任意 $x_1<x_2$，有 $F(x_1)\leqslant F(x_2)$.

（2）（有界性）$F(-\infty)=\lim\limits_{x\to-\infty}F(x)=0$，$F(+\infty)=\lim\limits_{x\to+\infty}F(x)=1$.

（3）（右连续性）$F(x+0)=F(x)$.

密度函数的性质如下：

（1）$f(x)\geqslant 0(-\infty<x<+\infty)$；

（2）$\int_{-\infty}^{+\infty}f(x)\mathrm{d}x=1$.

常用连续型随机变量如下：

1）均匀分布

若随机变量ξ在区间$[a,b]$内的密度函数为

$$f(x)=\frac{1}{b-a}\ (a\leqslant x\leqslant b),$$

则称ξ服从$[a,b]$上的均匀分布，记为$\xi\sim U[a,b]$.

2）指数分布$E(\lambda)$

若随机变量ξ的密度函数为

$$f(x)=\begin{cases}\lambda e^{-\lambda x}, & x\geqslant 0\\ 0\ , & x<0\end{cases}\ (\lambda>0),$$

则称ξ服从参数为λ的指数分布，记作$\xi\sim E(\lambda)$.

3）正态分布$N(\mu,\sigma^2)$

若随机变量ξ的密度函数为

$$f(x)=\frac{1}{\sqrt{2\pi}\sigma}e^{-\frac{(x-\mu)^2}{2\sigma^2}}\ (x\in\mathbf{R}),$$

其中σ,μ为常数且$\sigma>0$，则称ξ服从参数为μ,σ^2的正态分布，记作$\xi\sim N(\mu,\sigma)$.

随机变量ξ的分布函数为

$$F(x)=P(\xi\leqslant x)=\int_{-\infty}^{x}f(t)\mathrm{d}t=\int_{-\infty}^{x}\frac{1}{\sqrt{2\pi}\sigma}e^{-\frac{(t-\mu)^2}{2\sigma^2}}\mathrm{d}t.$$

特别地，当$\mu=0,\sigma=1$时，随机变量ξ的密度函数为

$$\varphi(x)=\frac{1}{\sqrt{2\pi}}e^{-\frac{x^2}{2}}\quad(x\in\mathbf{R}),$$

则称ξ服从标准正态分布，记作$\xi\sim N(0,1)$.

注：若随机变量ξ服从正态分布$N(\mu,\sigma^2)$，则其线性变换$\eta=\frac{x-\mu}{\sigma}$服从标准正态分布$N(0,1)$，这也是普通正态分布化为标准正态分布的计算公式，且标准正态分布具有如下性质：

$$\varphi(-x)=\varphi(x),\quad \Phi(-x)+\Phi(x)=1.$$

二、真题解析

例 1 （2018 年下高级中学）设随机变量ξ服从[0,1]上的均匀分布，即

$$P\{\xi \in (-\infty, x)\} = \begin{cases} 0, & x < 0 \\ x, & 0 \leqslant x \leqslant 1 \\ 1, & x > 1 \end{cases},$$

求 $P\{\xi^2 \in (-\infty, x)\}$.

解析 本题考查求解连续型随机变量的分布函数知识点.

由$0 \leqslant \xi \leqslant 1$知$0 \leqslant \xi^2 \leqslant 1$，故由已知条件得

当$x < 0$时，$P\{\xi^2 \in (-\infty, x)\} = P\{\xi^2 < x < 0\} = 0$；

当$0 \leqslant x \leqslant 1$时，

$$\begin{aligned} P\{\xi^2 \in (-\infty, x)\} &= P\{\xi^2 < x\} = P\{-\sqrt{x} < \xi \leqslant \sqrt{x}\} \\ &= P\{-\infty < \xi < \sqrt{x}\} - P\{-\infty < \xi < -\sqrt{x}\} \\ &= P\{-\infty < \xi < \sqrt{x}\} = \sqrt{x}\ ; \end{aligned}$$

当$x > 1$时，$P\{\xi^2 \in (-\infty, x)\} = 1$.

综上知，$P\{\xi^2 \in (-\infty, x)\} = \begin{cases} 0, & x < 0 \\ \sqrt{x}, & 0 \leqslant x \leqslant 1 \\ 1, & x > 1 \end{cases}.$

例 2 （2017 年上高级中学）有甲、乙两种品牌的某种饮料，其颜色、气味及味道都极为相似，现将饮料放在 6 个外观相同的杯子中，每种品牌各 3 杯，作为试验样品.

（1）从 6 杯样品饮料中随机选取 3 杯作为一次试验，若所选饮料全部为甲种品牌，视为试验成功. 独立进行 5 次试验，求 3 次成功的概率.

（2）某人声称他通过品尝饮料能够区分这两种饮料，现请他品尝试验样品中的 6 杯饮料进行品牌区分，作为一次试验，若区分完全正确，视为试验成功. 他经过 5 次试验，有 3 次成功，是否可由此推断此人具有品尝区分能力？请说明理由.

解析　本题考查独立重复试验的相关知识.

（1）设进行一次试验就成功的概率为 p，则 $p=\dfrac{C_3^3}{C_6^3}=\dfrac{1}{20}$. 独立进行5次试验，设成功的次数为 ξ，则 $\xi \sim B\left(5,\ \dfrac{1}{20}\right)$，且

$$P(\xi=3)=C_5^3 p^3(1-p)^{5-3}=C_5^3\left(\frac{1}{20}\right)^3\left(\frac{19}{20}\right)^2=\frac{361}{320\,000}.$$

（2）可以推断此人具有品尝区分能力. 因为由第（1）小题可知 $P(\xi=3)=\dfrac{361}{320\,000}$，即此随机试验成功的概率接近千分之一，属于小概率事件. 而此人只是品尝试验样品中的6杯饮料，进行5次试验就有3次成功，因此可以推断此人具备区分两种品牌饮料的能力.

例 3　（2013 年下高级中学）已知随机变量 X 服从正态分布 $N(3,1)$，且 $P\{2\leqslant X\leqslant 4\}=0.682\,8$，则 $P\{X>4\}=$（　　）.

A. 0.158 5　　B. 0.158 6　　C. 0.158 7　　D. 0.158 8

答案为 B.

解析　本题考查正态分布知识点.

由 $X\sim N(3,1)$ 知 $\dfrac{X-3}{1}\sim N(0,1)$. 又

$$P\{2\leqslant X\leqslant 4\}=\Phi\left(\frac{4-3}{1}\right)-\Phi\left(\frac{2-3}{1}\right)=2\Phi(1)-1,$$

故 $\Phi(1)=0.841\,4$，所以 $P\{X>4\}=1-\Phi\left(\dfrac{4-3}{1}\right)=0.158\,6$.

三、常考点同步练习

例 4　已知随机变量 $X\sim(1,2)$ 上的均匀分布，求 $Y=e^{2X}$ 的密度函数.

解析　由已知条件得

$$f_X(x)=\begin{cases}1, & 1<x<2\\ 0, & \text{其他}\end{cases},$$

又 $y=e^{2x}$，所以 $x=\dfrac{\ln y}{2}$，即当 $1<x<2$ 时，$e^2<y<e^4$.

综上可知，$Y=e^{2X}$ 的密度函数为

$$f_Y(y)=\begin{cases}\dfrac{1}{2y}, & e^2<x<e^4\\ 0, & \text{其他}\end{cases}.$$

例 5 设连续型随机变量 X 的密度函数为 $f(x)=\begin{cases}cx, & 2<x<4\\ 0, & \text{其他}\end{cases}$，求常数 c 和 $P\{X>3\}$.

解析 本题考查连续型随机变量密度函数的性质.

由题意可知

$$\int_{-\infty}^{+\infty}f(x)dx=\int_2^4 f(x)dx=\int_2^4 cxdx=\frac{1}{2}cx^2\bigg|_2^4=6c=1,$$

所以

$$c=\frac{1}{6},\quad P\{X>3\}=\int_3^{+\infty}\frac{1}{6}xdx=\int_3^4\frac{1}{6}xdx=\frac{1}{6}\cdot\frac{1}{2}x^2\bigg|_3^4=\frac{7}{12}.$$

核心考点四 随机变量的数字特征

一、重要知识点

1. 随机变量的期望与方差

若 ξ 为离散型随机变量，且其所有可能的取值为 $x_i(i=1,2,3,\cdots)$，每个取值所对应的概率为 $p_i(i=1,2,3,\cdots)$，即 $P(\xi=x_i)=p_i(i=1,2,3,\cdots)$，则随机变量 ξ 对应的期望和方差分别为

$$E(\xi)=\sum_{i=1}^{\infty}x_ip_i,\quad D(\xi)=E\{[\xi-E(\xi)]^2\}.$$

注：若级数 $\sum_{i=1}^{\infty}|x_i|p_i$ 收敛，则随机变量 ξ 的数学期望存在，若级数 $\sum_{i=1}^{\infty}x_ip_i$ 发散，则随机变量 ξ 的数学期望不存在.

若ξ为连续型随机变量，且其对应的概率密度函数为$f(x)$，则随机变量ξ对应的期望和方差分别为

$$E(\xi)=\int_{-\infty}^{+\infty}xf(x)\mathrm{d}x\text{，}\quad D(\xi)=E\{[\xi-E(\xi)]^2\}=\int_{-\infty}^{+\infty}[x-E(\xi)]^2f(x)\mathrm{d}x\,.$$

2. 随机变量数学期望的性质

（1）记C为常数，则$E(C)=C$；

（2）记C为常数，ξ为随机变量，且$E(\xi)$存在，则$E(C\xi)=CE(\xi)$，$E(C+\xi)=C+E(\xi)$；

（3）设ξ和η均为随机变量，且$E(\xi)$和$E(\eta)$都存在，则$E(\xi+\eta)=E(\xi)+E(\eta)$；

（4）设$f(\xi)$和$g(\xi)$为随机变量ξ的两个函数，则$E[f(\xi)+g(\xi)]=E[f(\xi)]+E[g(\xi)]$；

（5）设ξ和η相互独立，则$E(\xi\eta)=E(\xi)\cdot E(\eta)$.

3. 随机变量方差的性质

（1）记C为常数，则$D(C)=0$；

（2）记C,K均为常数，ξ为随机变量，则$D(C\xi)=C^2D(\xi)$，$D(C\xi+K)=C^2D(\xi)$；

（3）设ξ为随机变量，则$D\xi=E(\xi)^2-[E(\xi)]^2$；

（4）设ξ和η相互独立，则$D(\xi\pm\eta)=D(\xi)\pm D(\eta)$.

二、真题解析

例 1 （2016 年下初、高级中学）设ξ为离散型随机变量，取值$\{a_1,a_2,\cdots,a_n\}$（$a_1,a_2,\cdots,a_n$两两不同），已知事件$\{\xi=a_k\}$的概率为$p_k(\sum_{k=1}^{n}p_k=1,\ 0\leqslant p_k\leqslant 1)$，记$\xi$的数学期望为$E$，则$\xi$的方差是（　　）.

A. $\sum_{k=1}^{n}\left[(a_k-E)p_k\right]^2$　　　　B. $\sum_{k=1}^{n}(a_k-E)^2p_k$

C. $\sum_{k=1}^{n}|a_k-E|p_k$　　　　D. $\left[\sum_{k=1}^{n}(a_k-E)p_k\right]^2$

答案为 B.

解析　本题考查离散型随机变量的期望.

由离散型随机变量的定义知，随机变量ξ对应的期望和方差分别为

$$E(\xi)=\sum_{i=1}^{\infty}a_k p_k\ ,\quad D(\xi)=E\{[\xi-E(\xi)]^2\}=\sum_{k=1}^{n}(a_k-E)^2 p_k\ .$$

故本题选 B.

例 2　（2017 年下初、高级中学）已知随机变量 X 服从正态分布 $N(\mu,\sigma^2)$，设随机变量 $Y=2X-3$，则 Y 服从的分布是（　　）.

A. $N(2\mu-3,2\sigma^2-3)$　　　　B. $N(2\mu-3,4\sigma^2)$

C. $N(2\mu-3,4\sigma^2+9)$　　　　D. $N(2\mu-3,4\sigma^2-9)$

答案为 B.

解析　本题考查随机变量方差的性质.

因为 X 服从正态分布 $N(\mu,\sigma^2)$，所以 $EX=\mu,DX=\sigma^2$. 又由随机变量期望和方差的性质知，$EY=E(2X-3)=2EX=2\mu,DY=D(2X-3)=4DX=4\sigma^2$，所以 Y 服从的分布是 $N(2\mu-3,4\sigma^2)$，故答案为 B.

三、常考点同步练习

例 3　已知 $EX=-2,\ EX^2=5$，设随机变量 $Y=1-3X$，求 EY 与 DY.

解析　因为 $EX=-2,\ EX^2=5$，所以 $DX=E(X-EX)^2=EX^2-(EX)^2=1$，故由随机变量期望和方差的性质知

$$EY=E(1-3X)=1-3EX=1-3\times(-2)=7,$$

$$DY=D(1-3X)=(-3)^2DX=9\times1=9.$$

例 4　设随机变量 X 服从二项分布 $B(n,p)$，求 $\dfrac{D(4X+3)}{E(2X+1)}$.

解析　因为 $X\sim B(n,p)$，所以 $EX=np,DX=np(1-p)$. 由随机变量期望和方差的性质知

$$E(2X+1)=2EX+1=2np+1, D(4X+3)$$
$$=16DX=16np(1-p),$$

所以

$$\frac{D(4X+3)}{E(2X+1)}=\frac{16np(1-p)}{2np+1}.$$

核心考点五　数理统计

一、重要知识点

1. 总体与样本

在统计问题中，研究对象的全体 X 称为总体，构成总体的每一个对象称为个体.

从总体中随机抽取 n 个个体 $x_1, x_2, \cdots, x_n$ 称为总体的一个样本，其中 n 称为样本容量，简称样本量，$x_1, x_2, \cdots, x_n$ 称为样品.

2. 常用的几种抽样方法

1）简单随机抽样

设总体的个数为 N，通过不放回的抽取方法从总体中随机抽取一个样本，每个个体被抽取的概率均相同，则称这种抽样为简单随机抽样，所得到的样本为简单随机样本.

2）系统抽样

由于总体中个体数目庞大，可将总体分成均衡的几个部分，然后按照事先规定的规则，从每个部分抽取一个个体，得到所需要的样本，则称这种抽样为系统抽样.

若从容量为 N 的总体中抽取容量为 n 的样本，可按照以下步骤来进行系统抽样：

（1）先将总体的个体编号，有时候也可以直接利用个体自带的号码，如门牌号、身份证号、学号、员工号等.

（2）确定分段间隔号 k，对编号进行分段，当 $\frac{N}{n}$ 为整数时，取 $k=\frac{N}{n}$.

（3）在第一段用简单随机抽样确定第一个个体编号 $l(l \leqslant k)$.

（4）按照一定的规则抽取样本，通常是 l 加上间隔 k 得到第二个个体编号 $l+k$，$l+k$ 加上间隔 k 得到第三个个体编号 $l+2k$，依次下去，以获得整个样本.

3）分层抽样

若总体由差异明显的几个部分组成，为了让样本更好地反映总体的差异情况，在抽样时，将总体分成互不交叉的层，然后按照一定的比例从各层中独立抽取一定数量的个体，再将各层抽取出的个体合在一起作为样本，这样的抽样称为分层抽样.

3. 统计量与样本数字特征

1）统计量

不妨设 $x_1,x_2,\cdots,x_n$ 为取自某总体的样本，若不含任何未知参数的样本函数 $T=T(x_1,x_2,\cdots,x_n)$ 称为样本 $x_1,x_2,\cdots,x_n$ 的一个统计量，统计量的分布称为抽样分布.

设 $x_1,x_2,\cdots,x_n$ 为取自某总体的样本，$\overline{x}$ 为样本均值，且

$$\overline{x}=\frac{x_1+\cdots+x_n}{n}=\frac{1}{n}\sum_{i=1}^{n}x_i .$$

对于分组样本场合，样本均值的近似公式为

$$\overline{x}=\frac{x_1f_1+\cdots+x_kf_k}{n} \quad (n=\sum_{i=1}^{k}f_i).$$

式中，k 为组数，x_i 为第 i 组对应的值，f_i 为第 i 组的频数.

2）样本数字特征

样本均值 $\overline{x}=\frac{1}{n}\sum_{i=1}^{n}x_i$；

样本方差 $S^2=\frac{1}{n-1}\sum_{i=1}^{n}(x_i-\overline{x})^2$；

样本标准差 $S=\sqrt{\frac{1}{n-1}\sum_{i=1}^{n}(x_i-\overline{x})^2}$.

4. 常用的统计抽样分布

1）χ^2 分布

设 $x_1,x_2,\cdots,x_n$ 为相互独立的，且均服从标准正态分布 $N(0,1)$ ，则称 $\chi^2=\sum_{i=1}^{n}x_i^2$ 服从自由度为 n 的 χ^2 分布.

2）t 分布

设 ξ,η 相互独立的，且 $\xi\sim N(0,1),\eta\sim\chi^2(n)$ ，则随机变量 $T=\frac{\xi}{\sqrt{\eta/n}}$ 服从自由度为 n 的 t 分布.

3）F 分布

设 ξ,η 相互独立的，且 $\xi\sim\chi^2(n_1),\eta\sim\chi^2(n_2)$ ，则 $F=\frac{\xi/n_1}{\eta/n_2}$ 服从自由度为 n 的 F 分布.

二、真题解析

例 1 （2015 年下高级中学）为了研究 7~10 岁少年儿童的身高情况，甲、乙两名研究人员分别随机抽取了某城市 100 名和 1 000 名两组调查样本，甲、乙抽取的两组样本平均身高分别记为 α,β（单位：cm），α 和 β 的大小关系为（　）.

A. $\alpha>\beta$　　B. $\alpha<\beta$

C. $\alpha=\beta$　　D. 不确定

答案为 D.

解析 本题考查数理统计中随机抽样知识点.

在数量统计中，通常使用样本的均值来估计总体均值，且从总体中取出的样本越大，其对总体的代表性就越好. 本题中随机取出的两组数据，其均值均能反映总体的一些信息，但平均值不一定相同，故本题选 D.

三、常考点同步练习

例 2 某学校有教师 750 人，其中青年教师 350 人，中年教师 250 人，老年教师 150 人，为了解教师们平时购物使用支付宝的情况，采用分层抽样的方法从中抽取样本，若样本中青年教师的人数为 7 人，则样本容量为（　）.

A. 7　　B. 35　　C. 25　　D. 15

答案为 D.

解析　本题考查数理统计中随机抽样知识点.

由题意知，青年教师抽取的比例为 $\frac{7}{350}$，则样本容量为 $750\times\frac{7}{350}=15$，故本题选 D.

例 3 为了解中学生对交通标识的了解情况，调查部门对某中学的 6 名学生进行问卷调查，得分如下：$5,6,7,8,9,10$，把这 6 名学生的得分看成一个总体.

（1）求该总体的平均数；

（2）用简单抽样的方法从这 6 名学生中抽取 2 名，他们的得分组成一个样本，求该样本平均数与总体平均数之差的绝对值不超过 $\frac{1}{2}$ 的概率.

解析　（1）总体平均数：$\frac{1}{6}(5+6+7+8+9+10)=7.5$.

（2）用 A 表示事件“样本平均数与总体平均数之差的绝对值不超过 $\frac{1}{2}$”，从 6 名学生中抽取 2 名可能的得分情况有 $C_6^2=15$ 种，事件 A 包括如下 7 种结果：

$$(5,9),(5,10),(6,8),(6,9),(6,10),(7,8),(7,9)$$

故所求概率 $P(A)=\frac{7}{15}$.

第 5 章　中学数学教师资格证考试《数学学科知识》模拟训练

《数学学科知识》模拟训练一

注意事项：

1. 考试时间为 120 分钟，满分 100 分.
2. 请按规定在答题区域内答题，否则作答无效.

一、单项选择题（本大题共 8 小题，每小题 5 分，共 40 分）

1. 设 $\lim\limits_{x\to 1}\dfrac{\sin kx}{x-1}=4$，则 k 为（　　）.

A. 1　　B. 2　　C. $\dfrac{1}{4}$　　D. 4

2. 设 $\boldsymbol{A}$，$\boldsymbol{B}$ 为 n 阶方阵，$\boldsymbol{A}^2=\boldsymbol{B}^2$，则下列各式成立的是（　　）.

A. $\boldsymbol{A}=\boldsymbol{B}$　　B. $\boldsymbol{A}=-\boldsymbol{B}$　　C. $|\boldsymbol{A}|=|\boldsymbol{B}|$　　D. $|\boldsymbol{A}|^2=|\boldsymbol{B}|^2$

3. 设 $\boldsymbol{a},\boldsymbol{b}$ 为任意两向量，$\boldsymbol{u}=\boldsymbol{a}+\boldsymbol{b},\boldsymbol{v}=\boldsymbol{a}-\boldsymbol{b}$，则 $\dfrac{\boldsymbol{u}+\boldsymbol{v}}{|\boldsymbol{u}+\boldsymbol{v}|}$ 表示（　　）.

A. 与 $\boldsymbol{a}$ 方向相同的单位向量

B. 与 $\boldsymbol{b}$ 方向相同的单位向量

C. 与 $\boldsymbol{a}$ 平行的非单位向量

D. 与 $\boldsymbol{b}$ 平行的非单位向量

4. $\boldsymbol{\alpha}_1,\boldsymbol{\alpha}_2,\boldsymbol{\alpha}_3,\boldsymbol{\beta}_1,\boldsymbol{\beta}_2$ 均为四维列向量，且四阶行列式 $|\boldsymbol{\alpha}_1\ \ \boldsymbol{\alpha}_2\ \ \boldsymbol{\alpha}_3\ \ \boldsymbol{\beta}_1|=m$，$|\boldsymbol{\alpha}_1\ \ \boldsymbol{\beta}_2\ \ \boldsymbol{\alpha}_3\ \ \boldsymbol{\alpha}_2|=n$，则行列式 $|\boldsymbol{\alpha}_1\ \ \boldsymbol{\alpha}_2\ \ \boldsymbol{\alpha}_3\ \ \boldsymbol{\beta}_1+\boldsymbol{\beta}_2|=$（　　）.

A. $m+n$　　B. $m-n$　　C. $-m+n$　　D. $-m-n$

5. 设当 A 和 B 同时发生时，事件 C 必发生，则（　　）.

A. $P(C) \leqslant P(A)+P(B)-1$　　B. $P(C) \geqslant P(A)+P(B)-1$

C. $P(C)=P(AB)$　　D. $P(C)=P(A \cup B)$

6. 设级数 $\sum_{n=1}^{\infty} a_n^2$，$\sum_{n=1}^{\infty} b_n^2$ 都收敛，则级数 $\sum_{n=1}^{\infty}(a_n+b_n)$（　　）.

A. 绝对收敛　　B. 条件收敛

C. 发散　　D. 可能收敛也可能发散

7. 设 $\boldsymbol{A}$ 为 $m \times n$ 矩阵，则下列结论正确的是（　　）.

A. 若 $\boldsymbol{AX}=\boldsymbol{0}$ 仅有零解，则 $\boldsymbol{AX}=\boldsymbol{b}$ 有唯一解

B. 若 $\boldsymbol{AX}=\boldsymbol{0}$ 有非零解，则 $\boldsymbol{AX}=\boldsymbol{b}$ 有无穷多解

C. 若 $\boldsymbol{AX}=\boldsymbol{b}$ 有无穷多解，则 $\boldsymbol{AX}=\boldsymbol{0}$ 仅有零解

D. 若 $\boldsymbol{AX}=\boldsymbol{b}$ 有无穷多解，则 $\boldsymbol{AX}=\boldsymbol{0}$ 有非零解

8. $x=0$ 是 $f(x)=x+\dfrac{1}{x}$ 的（　　）.

A. 第二类间断点　　B. 可去间断点

C. 跳跃间断点　　D. 连续点

二、计算题（本大题共 4 小题，每小题 9 分，共 36 分）

1. 用配方法化二次型 $f(x_1,x_2,x_3)=x_1x_2+x_1x_3$ 为标准形，并写出相应的满秩线性变换.

2. 求曲线 $\begin{cases} x=\int_0^t \mathrm{e}^u \cos u \mathrm{d}u \\ y=2\sin t+\cos t \\ z=1+\mathrm{e}^{3t} \end{cases}$ 在 $t=0$ 处的切线方程和法平面方程.

3. 设 $z=\arcsin\dfrac{x}{\sqrt{x^2+y^2}}$，求 $\dfrac{\partial z}{\partial x}$，$\dfrac{\partial^2 z}{\partial x^2}$，$\dfrac{\partial^2 z}{\partial x \partial y}$.

4. 设随机变量 X 的概率密度 $f(x)=\begin{cases} x, & 0 \leqslant x<1 \\ A-x, & 1 \leqslant x<2 \\ 0, & \text{其他} \end{cases}$.

（1）确定常数 A；（2）求分布函数 $F(x)$；（3）求 $P(0.5<X<1)$.

三、解答题（本大题共 2 小题，每小题 12 分，共 24 分）

1. 设 $\boldsymbol{\eta}^*$ 是非齐次线性方程组 $\boldsymbol{Ax}=\boldsymbol{b}$ 的一个解，$\boldsymbol{\xi}_1,\boldsymbol{\xi}_2,\cdots,\boldsymbol{\xi}_{n-r}$ 是对应的齐次线性方程组的一个基础解系，证明：$\boldsymbol{\eta}^*,\boldsymbol{\xi}_1,\boldsymbol{\xi}_2,\cdots,\boldsymbol{\xi}_{n-r}$ 线性无关.

2. 已知 $f(x)$ 在 $[a,b]$ 上连续，在 (a,b) 内 $f''(x)$ 存在，连接 $A(a,f(a))$，$B(b,f(b))$ 两点的直线交曲线 $y=f(x)$ 于 $C(c,f(c))$，且 $a<c<b$，试证：在 (a,b) 内至少存在一个 ξ 使得 $f''(\xi)=0$.

《数学学科知识》模拟训练二

注意事项：

1. 考试时间为 120 分钟，满分 100 分.
2. 请按规定在答题区域内答题，否则作答无效.

一、单项选择题（本大题共 8 小题，每小题 5 分，共 40 分）

1. 若函数 $f(x)$ 的定义域为 $[-2, 2]$，则 $f(\log_3 x)$ 的定义域是（　　）.

A. $\left[-\frac{1}{3},0\right)\cup\left(0,3\right]$　　B. $\left[\frac{1}{3},3\right]$

C. $\left[-\frac{1}{9},0\right)\cup\left(0,9\right]$　　D. $\left[\frac{1}{9},9\right]$.

2. n 阶行列式的展开式中含 $a_{11}a_{12}$ 的项共有（　　）项.

A. 0　　B. $n-2$　　C. $(n-2)!$　　D. $(n-1)!$

3. 球体 $x^2+(y-1)^2+(z-2)^2\leqslant 9$ 在平面 xOy 上的投影为（　　）.

A. $x^2+(y-1)^2=9$　　B. $x^2+(y-1)^2=5$

C. $x^2+(y-1)^2\leqslant 9$　　D. $x^2+(y-1)^2\leqslant 5$

4. 设 $D=\begin{vmatrix}3&0&4&0\\1&1&1&1\\0&-1&0&0\\5&3&-2&2\end{vmatrix}$，则 D 中第四行元素的余子式和为（　　）.

A. -1　　B. -2　　C. -3　　D. 0

5. 设随机变量 X 的概率密度函数为 $p(x)$ 且 $p(-x)=p(x)$，$F(x)$ 是 X 的分布函数，则对任意实数 a，有（　　）.

A. $F(-a)=1-\int_0^a p(x)\mathrm{d}x$　　B. $F(-a)=\frac{1}{2}-\int_0^a p(x)\mathrm{d}x$

C. $F(-a)=F(a)$　　D. $F(-a)=2F(a)-1$

6. 设 a 为非零常数，若级数 $\sum_{n=1}^{\infty}\frac{a}{r^n}$ 收敛，则（　　）.

A. $|r|>|a|$　　B. $|r|<|a|$　　C. $|r|\leqslant 1$　　D. $|r|>1$

7. 设 $\boldsymbol{A}$ 为 n 阶可逆矩阵，则下面各式恒成立的是（　　）.

A. $|2\boldsymbol{A}|=2|\boldsymbol{A}^{\mathrm{T}}|$　　B. $(2\boldsymbol{A})^{-1}=2\boldsymbol{A}^{-1}$

C. $[(\boldsymbol{A}^{-1})^{-1}]^{\mathrm{T}}=[(\boldsymbol{A}^{\mathrm{T}})^{\mathrm{T}}]^{-1}$　　D. $[(\boldsymbol{A}^{\mathrm{T}})^{\mathrm{T}}]^{-1}=[(\boldsymbol{A}^{-1})^{\mathrm{T}}]^{\mathrm{T}}$

8. 如果 $z=\arctan\frac{x}{y}$，则 $\mathrm{d}z=$（　　）.

A. $\frac{-x}{x^2+y^2}\mathrm{d}x+\frac{y}{x^2+y^2}\mathrm{d}y$　　B. $\frac{x}{x^2+y^2}\mathrm{d}x+\frac{-y}{x^2+y^2}\mathrm{d}y$

C. $\frac{-y}{x^2+y^2}\mathrm{d}x+\frac{x}{x^2+y^2}\mathrm{d}y$　　D. $\frac{y}{x^2+y^2}\mathrm{d}x+\frac{-x}{x^2+y^2}\mathrm{d}y$

二、计算题（本大题共 4 小题，每小题 9 分，共 36 分）

1. 求非奇异矩阵 $\boldsymbol{P}$，使 $\boldsymbol{P}^{-1}\boldsymbol{A}\boldsymbol{P}$ 为对角阵.

（1）$\boldsymbol{A}=\begin{pmatrix}2 & 1\\ 1 & 2\end{pmatrix}$，　　（2）$\boldsymbol{A}=\begin{pmatrix}1 & 1 & -2\\ -1 & -3 & 1\\ -2 & 0 & -1\end{pmatrix}$.

2. 从点 $M(-1,3,-2)$ 分别作 xOy，yOz，zOx 坐标面和 x，y，z 坐标轴的垂线，写出各垂足的坐标，并求出点 M 到上述坐标面和坐标轴的距离.

3. 求函数 $f(x)=\lim\limits_{n\to\infty}\frac{x(1+\sin\pi x)^n+\sin\pi x}{1+(1+\sin\pi x)^n},-1\leqslant x\leqslant 1$.

4. 设 X,Y 是两个随机变量，它们的联合概率密度为

$$f(x,y)=\begin{cases}\frac{x^3}{2}\mathrm{e}^{-x(1+y)}, & x>0,y>0\\ 0, & \text{其他}\end{cases}$$

（1）求 (X,Y) 关于 X 的边缘概率密度 $f_X(x)$；

（2）求条件概率密度 $f_{Y|X}(y|x)$，写出当 $x=0.5$ 时的条件概率密度；

（3）求条件概率 $P\{Y\geqslant 1|X=0.5\}$.

三、解答题（本大题共 2 小题，每小题 12 分，共 24 分）

1. 已知 3 维向量组 $\boldsymbol{\alpha}_1,\boldsymbol{\alpha}_2,\boldsymbol{\alpha}_3$ 线性无关，则向量组 $\boldsymbol{\alpha}_1+\boldsymbol{\alpha}_2,\boldsymbol{\alpha}_2+\boldsymbol{\alpha}_3,\boldsymbol{\alpha}_3+\boldsymbol{\alpha}_1$ 线性无关.

2. 设 $f(x)$ 在 $(0,+\infty)$ 上连续且单调递减，证明：

$$\int_1^{n+1} f(x)\mathrm{d}x \leqslant \sum_{k=1}^{n} f(k) \leqslant f(1)+\int_1^{n} f(x)\mathrm{d}x .$$

《数学学科知识》模拟训练三

注意事项：

1. 考试时间为 120 分钟，满分 100 分.
2. 请按规定在答题区域内答题，否则作答无效.

一、单项选择题（本大题共 8 小题，每小题 5 分，共 40 分）

1. 设 $f[\varphi(x^2)]=\dfrac{2+x^2}{1-x^2}$，$\varphi(x)=\dfrac{1}{x}$，则 $f(x)=$（　　）.

A. $\dfrac{2x+1}{x-1}$　　B. $\dfrac{2x-1}{x+1}$　　C. $\dfrac{x-1}{2x+1}$　　D. $\dfrac{x+1}{2x-1}$

2. 在函数 $f(x)=\begin{vmatrix} 2x & x & -1 & 1 \\ -1 & -x & 1 & 2 \\ 3 & 2 & -x & 3 \\ 0 & 0 & 0 & 1 \end{vmatrix}$ 中，x^3 项的系数是（　　）.

A. 0　　B. -1　　C. 1　　D. 2

3. 下列平面方程中，过点 $M(0,3,1)$ 的平面方程是（　　）.

A. $4x-3y-z=0$　　B. $-3y-z=1$

C. $y-3z=0$　　D. $-3y-z=0$

4. 设 $\boldsymbol{A}$ 为 $m\times n$ 阶矩阵，$\boldsymbol{C}$ 为 n 阶可逆矩阵，$\boldsymbol{B}=\boldsymbol{AC}$，则（　　）.

A. $r(\boldsymbol{A})>r(\boldsymbol{B})$　　B. $r(\boldsymbol{A})=r(\boldsymbol{B})$

C. $r(\boldsymbol{A})<r(\boldsymbol{B})$　　D. $r(\boldsymbol{A})$ 与 $r(\boldsymbol{B})$ 的关系依 $\boldsymbol{C}$ 而定

5. 袋中放有 3 个红球、2 个白球，第一次取出一球，不放回，第二次再取出一球，则两次都是红球的概率是（　　）.

A. $\dfrac{9}{25}$　　B. $\dfrac{3}{10}$　　C. $\dfrac{6}{25}$　　D. $\dfrac{3}{20}$

6. 下列级数中，收敛的是（　　）.

A. $\displaystyle\sum_{n=1}^{\infty}\left(\frac{5}{4}\right)^{n-1}$　　B. $\displaystyle\sum_{n=1}^{\infty}\left(\frac{4}{5}\right)^{n-1}$

C. $\displaystyle\sum_{n=1}^{\infty}(-1)^{n-1}\left(\frac{5}{4}\right)^{n-1}$　　D. $\displaystyle\sum_{n=1}^{\infty}\left(\frac{5}{4}+\frac{4}{5}\right)^{n-1}$

7. 设 $\boldsymbol{\beta}$ 是向量组 $\boldsymbol{\alpha}_1=(1,0,0)^{\mathrm{T}}$，$\boldsymbol{\alpha}_2=(0,1,0)^{\mathrm{T}}$ 的线性组合，则 $\boldsymbol{\beta}=$（　　）.

A. $(0,\ 3,\ 0)^{\mathrm{T}}$　　B. $(2,\ 0,\ 1)^{\mathrm{T}}$

C. $(0,\ 0,\ 1)^{\mathrm{T}}$　　D. $(0,\ 2,\ 1)^{\mathrm{T}}$

8. 若 $f_x(x_0,y_0)$ 和 $f_y(x_0,y_0)$ 都存在，则 $f(x,y)$ 在 (x_0,y_0) 处（　　）.

A. 连续且可微　　B. 连续但不一定可微

C. 可微但不一定连续　　D. 不一定连续且不一定可微

二、计算题（本大题共 4 小题，每小题 9 分，共 36 分）

1. 已知矩阵 $\boldsymbol{A}=\begin{pmatrix}1&-1&1\\2&4&-2\\-3&-3&5\end{pmatrix}$ 与 $\boldsymbol{B}=\begin{pmatrix}2&&\\&2&\\&&y\end{pmatrix}$ 相似.

（1）求 y；（2）求一个满足 $\boldsymbol{P}^{-1}\boldsymbol{AP}=\boldsymbol{B}$ 的可逆阵 $\boldsymbol{P}$.

2. 求点 $(1,2,1)$ 到平面 $\Pi: x+2y+2z-10=0$ 的距离.

3. 已知$f(x)$在$x=a$处可导，且$f(x)>0$，n为自然数，求$\lim\limits_{n\to\infty}\left(\dfrac{f\left(a+\dfrac{1}{n}\right)}{f(a)}\right)^n$.

4. 设随机变量X和Y相互独立，且$X\sim U(0,1)$，Y的概率密度函数为

$$f_Y(y)=\begin{cases}\dfrac{1}{2}\mathrm{e}^{-\frac{y}{2}}, y>0\\ 0, \quad 其他\end{cases}$$

（1）求X和Y的联合概率密度函数；

（2）设含有a的二次方程为$a^2+2aX+Y=0$，试求a有实根的概率.

三、解答题（本大题共 2 小题，每小题 12 分，共 24 分）

1. 设$\boldsymbol{\alpha}$是n阶矩阵$\boldsymbol{A}$的属于特征值λ的特征向量，证明：$\boldsymbol{\alpha}$也是$\boldsymbol{A}^5-4\boldsymbol{A}^3+\boldsymbol{E}$的特征向量，其中$\boldsymbol{E}$为$n$阶单位矩阵.

2. 设$f(x)$在$[a,b]$上连续，证明：$\left(\int_a^b f(x)\mathrm{d}x\right)^2\leqslant(b-a)\int_a^b f^2(x)\mathrm{d}x$.

《数学学科知识》模拟训练四

注意事项：

1. 考试时间为 120 分钟，满分 100 分.
2. 请按规定在答题区域内答题，否则作答无效.

一、单项选择题（本大题共 8 小题，每小题 5 分，共 40 分）

1. 极限$\lim\limits_{n\to+\infty}\left(\dfrac{1+2+3+\cdots+n}{n}-\dfrac{n}{2}\right)=$（　）.

A. 1　　B. $\dfrac{1}{2}$　　C. $\dfrac{1}{3}$　　D. ∞

2. 设 $\boldsymbol{A}$ 为 n 阶方阵，且 $|\boldsymbol{A}|=0$，则（　）.

A. $\boldsymbol{A}$ 中两行（列）对应元素成比例

B. $\boldsymbol{A}$ 中任意一行为其他行的线性组合

C. $\boldsymbol{A}$ 中至少有一行元素全为零

D. $\boldsymbol{A}$ 中必有一行为其他行的线性组合

3. 两直线 $L_1: x=t+1, y=2t-1, z=t$ 及 $L_2: x=t+2, y=2t-1, z=t+1$ 间的距离为（　）.

A. $\dfrac{2}{3}$　　B. $\dfrac{2}{3^{\frac{3}{2}}}$　　C. 1　　D. 2

4. 设 $\boldsymbol{A}$，$\boldsymbol{B}$ 为 n 阶非零矩阵，且 $\boldsymbol{AB}=\boldsymbol{O}$，则 $r(\boldsymbol{A})$ 和 $r(\boldsymbol{B})$（　）.

A. 有一个等于零　　B. 都为 n

C. 都小于 n　　D. 一个小于 n，一个等于 n

5. 设 $F(x)=\begin{cases} 0, & x<0 \\ ax^4, & 0\leqslant x<1 \\ 1, & x\geqslant 1 \end{cases}$ 是连续型随机变量 X 的分布函数，则 $a=$（　）.

A. 4　　B. 3　　C. 2　　D. 1

6. 若幂级数 $\sum\limits_{n=0}^{\infty} a_n x^n$ 的收敛半径为 R_1，幂级数 $\sum\limits_{n=0}^{\infty} b_n x^n$ 的收敛半径为 R_2，且 $0<R_1, R_2<+\infty$，则幂级数 $\sum\limits_{n=0}^{\infty}(a_n+b_n)x^n$ 的收敛半径至少为（　）.

A. R_1+R_2　　B. $R_1\cdot R_2$

C. $\max\{R_1,R_2\}$　　D. $\min\{R_1,R_2\}$

7. 设有向量组 $\boldsymbol{\alpha}_1=(1,\ -1,\ 2,\ 4)^{\mathrm{T}}$，$\boldsymbol{\alpha}_2=(0,\ 3,\ 1,\ 2)^{\mathrm{T}}$，$\boldsymbol{\alpha}_3=(3,\ 0,\ 7,\ 14)^{\mathrm{T}}$，$\boldsymbol{\alpha}_4=(1,\ -2,\ 2,\ 0)^{\mathrm{T}}$，$\boldsymbol{\alpha}_5=(2,\ 1,\ 5,\ 10)^{\mathrm{T}}$，则该向量组的极大线性无关组为（　）.

A. $\boldsymbol{\alpha}_1$，$\boldsymbol{\alpha}_2$，$\boldsymbol{\alpha}_3$　　B. $\boldsymbol{\alpha}_1$，$\boldsymbol{\alpha}_2$，$\boldsymbol{\alpha}_4$

C. $\boldsymbol{\alpha}_1$，$\boldsymbol{\alpha}_2$，$\boldsymbol{\alpha}_5$　　D. $\boldsymbol{\alpha}_1$，$\boldsymbol{\alpha}_2$，$\boldsymbol{\alpha}_4$，$\boldsymbol{\alpha}_5$

8. 设 $f\left(x+y,\dfrac{y}{x}\right)=y^2-x^2$，则 $\dfrac{\partial f(x,y)}{\partial x}=$（　）.

A. $\dfrac{2x(y-1)}{1+y}$　　B. $\dfrac{2x(y+1)}{1-y}$

C. $\dfrac{2y(x-1)}{1+x}$　　D. $\dfrac{2y(x+1)}{1-x}$

二、计算题（本大题共 4 小题，每小题 9 分，共 36 分）

1. 计算四阶行列式$\begin{vmatrix} 3 & -1 & -1 & 0 \\ 1 & 2 & 3 & 4 \\ 1 & 2 & 0 & 5 \\ 1 & 0 & 1 & 2 \end{vmatrix}$.

2. 求两平行平面 $\Pi_1: Ax+By+Cz+D_1=0$ 与 $\Pi_2: Ax+By+Cz+D_2=0$ 之间的距离.

3. 求不定积分$\int \dfrac{\mathrm{d}x}{x(x^{10}+1)}$.

4. （1）设总体 $X \sim N(52, 6.3^2)$，$X_1, X_2, \cdots, X_{36}$ 是来自 X 的容量为 36 的样本，求 $P\{50.8 < \bar{X} < 53.8\}$；

（2）设总体 $X \sim N(12, 4)$，$X_1, X_2, \cdots, X_5$ 是来自 X 的容量为 5 的样本，求样本均值与总体均值之差的绝对值大于 1 的概率.

三、解答题（本大题共 2 小题，每小题 12 分，共 24 分）

1. 设 n 维向量组 $\boldsymbol{\alpha}, \boldsymbol{\beta}, \boldsymbol{\gamma}$ 线性无关，向量组 $\boldsymbol{\alpha}, \boldsymbol{\beta}, \boldsymbol{\delta}$ 线性相关，证明：$\boldsymbol{\delta}$ 必可由 $\boldsymbol{\alpha}, \boldsymbol{\beta}, \boldsymbol{\gamma}$ 线性表示.

2. $f(x)$，$g(x)$ 在 $[a,b]$ 上连续，且 $g(x) \neq 0, x \in [a,b]$，试证：至少存在一点 $\xi \in (a,b)$ 使得 $\dfrac{\int_a^b f(x)\mathrm{d}x}{\int_a^b g(x)\mathrm{d}x} = \dfrac{f(\xi)}{g(\xi)}$.

《数学学科知识》模拟训练五

注意事项：

1. 考试时间为 120 分钟，满分 100 分.
2. 请按规定在答题区域内答题，否则作答无效.

一、单项选择题（本大题共 8 小题，每小题 5 分，共 40 分）

1. 函数 $y=\dfrac{3^x}{3^x+1}$ 的反函数 $y=$（　　）.

A. $\log_3\left(\dfrac{x}{1+x}\right)$　　B. $\log_3\left(\dfrac{x}{1-x}\right)$

C. $\log_3\left(\dfrac{x}{x-1}\right)$　　D. $\log_3\left(\dfrac{1-x}{x}\right)$.

2. 若 $\begin{vmatrix} a_{11} & a_{12} \\ a_{21} & a_{22} \end{vmatrix}=a$，则 $\begin{vmatrix} a_{12} & ka_{22} \\ a_{11} & ka_{21} \end{vmatrix}=$（　　）.

A. ka　　B. $-ka$　　C. k^2a　　D. $-k^2a$

3. 在平面的截距式方程 $\dfrac{x}{a}+\dfrac{y}{b}+\dfrac{z}{c}=1$ 中，截距 a, b, c（　　）.

A. 全不为零　　B. 不全为零

C. 全大于零　　D. 大于或等于零

4. 若 $\boldsymbol{A}$ 为 n 阶方阵，k 为非零常数，则 $|k\boldsymbol{A}|=$（　　）.

A. $k|\boldsymbol{A}|$　　B. $|k||\boldsymbol{A}|$　　C. $k^n|\boldsymbol{A}|$　　D. $|k|^n|\boldsymbol{A}|$

5. 设 $P(B)=0.1, P(A\cup B)=0.5$ 则 $P(A\overline{B})=$（　　）.

A. 0.1　　B. 0.2　　C. 0.3　　D. 0.4

6. 以下级数中，条件收敛的级数是（　　）.

A. $\sum\limits_{n=1}^{\infty}(-1)^n\dfrac{n}{2n+10}$　　B. $\sum\limits_{n=1}^{\infty}(-1)^{n-1}\dfrac{1}{\sqrt{n^3}}$

C. $\sum\limits_{n=1}^{\infty}(-1)^{n+1}\left(\dfrac{1}{2}\right)^n$　　D. $\sum\limits_{n=1}^{\infty}(-1)^{n-1}\dfrac{3}{\sqrt{n}}$

7. 下列说法正确的是（　　）.

A. 若存在不全为零的数 $k_1,k_2,\cdots,k_s$，使得 $k_1\boldsymbol{\alpha}_1+k_2\boldsymbol{\alpha}_2+\cdots+k_s\boldsymbol{\alpha}_s=\mathbf{0}$，则 $\boldsymbol{\alpha}_1,\boldsymbol{\alpha}_2,\cdots,\boldsymbol{\alpha}_s$ 线性无关

B. 若有不全为零的数 $k_1,k_2,\cdots,k_s$，使得 $k_1\boldsymbol{\alpha}_1+k_2\boldsymbol{\alpha}_2+\cdots+k_s\boldsymbol{\alpha}_s\neq\mathbf{0}$，则 $\boldsymbol{\alpha}_1,\boldsymbol{\alpha}_2,\cdots,\boldsymbol{\alpha}_s$ 线性无关

C. 若 $\boldsymbol{\alpha}_1,\boldsymbol{\alpha}_2,\cdots,\boldsymbol{\alpha}_s$ 线性相关，则其中每个向量均可由其余向量线性表示

D. 任何 $n+1$ 个 n 维向量必线性相关

8. $\lim\limits_{\substack{x\to0\\y\to0}}\dfrac{3xy}{\sqrt{2xy+1}-1}=$（　　）.

A. 不存在　　　B. 3　　　C. 6　　　D. ∞

二、计算题（本大题共 4 小题，每小题 9 分，共 36 分）

1. 解矩阵方程 $(\boldsymbol{E}-\boldsymbol{A})\boldsymbol{X}=\boldsymbol{B}$，其中 $\boldsymbol{A}=\begin{pmatrix}0&1&0\\-1&1&1\\-1&0&-1\end{pmatrix}$，$\boldsymbol{B}=\begin{pmatrix}1&-1\\2&0\\5&3\end{pmatrix}$.

2. 求过点 $M_1(1,1,1)$ 和 $M_2(0,1-1)$ 且垂直于平面 $x+y+z=0$ 的方程.

3. 设函数 $f(x),g(x)$ 满足 $f'(x)=g(x)$，$g'(x)=2\mathrm{e}^x-f(x)$，且 $f(0)=0$，$g(0)=2$，求 $\int_0^{\pi}\left[\dfrac{g(x)}{1+x}-\dfrac{f(x)}{(1+x)^2}\right]\mathrm{d}x$.

4. 设产品的寿命 X（以周计）服从瑞利分布，其概率密度函数为

$$f(x)=\begin{cases}\dfrac{x}{100}\mathrm{e}^{-x^2/200}, & x\geqslant0\\ 0\quad, & \text{其他}\end{cases}$$

（1）求寿命不到一周的概率；

（2）求寿命超过一年的概率；

（3）已知它的寿命超过 20 周，求寿命超过 26 周的条件概率.

三、解答题（本大题共 2 小题，每小题 12 分，共 24 分）

1. 证明：$\begin{pmatrix} a & 0 & 0 \\ 0 & b & 0 \\ 0 & 0 & c \end{pmatrix}$与$\begin{pmatrix} b & 0 & 0 \\ 0 & c & 0 \\ 0 & 0 & a \end{pmatrix}$合同.

2. 设 $f(x)$ 在 $[a,b]$ 上可导，且 $f'(x) \leqslant M$ ， $f(a)=0$. 证明：

$$\int_a^b f(x)\mathrm{d}x \leqslant \frac{M}{2}(b-a)^2 .$$

《数学学科知识》模拟训练六

注意事项：

1. 考试时间为 120 分钟，满分 100 分.
2. 请按规定在答题区域内答题，否则作答无效.

一、单项选择题（本大题共 8 小题，每小题 5 分，共 40 分）

1. 如果 $f(x)=\ln\frac{x}{3}$， $\int \frac{f'(3\mathrm{e}^{-x})}{\mathrm{e}^x}\mathrm{d}x=$（　　）.

A. $3x+C$　　B. $-3x+C$　　C. $\frac{1}{3}x+C$　　D. $-\frac{1}{3}x+C$

2. k 为何值时，齐次线性方程组$\begin{cases} x_1+x_2+kx_3=0 \\ x_1+kx_2+x_3=0 \\ kx_1+x_2+x_3=0 \end{cases}$有非零解？（　　）

A. -1　　B. -2　　C. -3　　D. 0

3. 平面 $-2x-y+2z-8=0$ 与平面 $x+y+z-1=0$ 夹角的余弦值为（　　）.

A. $\frac{1}{3}$　　B. $\frac{1}{3^{\frac{1}{3}}}$　　C. $\frac{1}{3\times 3^{\frac{1}{3}}}$　　D. $\frac{-1}{3\times 3^{\frac{1}{3}}}$

4. 若 $D=\begin{vmatrix} a_{11} & a_{12} & a_{13} \\ a_{21} & a_{22} & a_{23} \\ a_{31} & a_{32} & a_{33} \end{vmatrix}=\frac{1}{2}$，则 $D_1=\begin{vmatrix} 2a_{11} & a_{13} & a_{11}-2a_{12} \\ 2a_{21} & a_{23} & a_{21}-2a_{22} \\ 2a_{31} & a_{33} & a_{31}-2a_{32} \end{vmatrix}=$（　　）.

A. 4　　B. -4　　C. 2　　D. -2

5. 有6本中文书和4本外文书，任意往书架摆放，则4本外文书放在一起的概率是（　　）.

A. $\dfrac{4!6!}{10!}$　　B. $\dfrac{7}{10}$　　C. $\dfrac{4}{10}$　　D. $\dfrac{4!7!}{10!}$

6. $\lim\limits_{n\to\infty}u_n=0$是级数$\sum\limits_{n=1}^{\infty}u_n$收敛的（　　）条件.

A. 充分　　B. 必要

C. 充分且必要　　D. 既非充分又非必要

7. 设$\boldsymbol{A}$为n阶方阵，且$|\boldsymbol{A}|=0$，则（　　）.

A. $\boldsymbol{A}$中两行（列）对应元素成比例

B. $\boldsymbol{A}$中任意一行为其他行的线性组合

C. $\boldsymbol{A}$中至少有一行元素全为零

D. $\boldsymbol{A}$中必有一行为其他行的线性组合

8. 下列不等式中正确的是（　　）.

A. $\iint\limits_{x^2+y^2\leqslant 1}(x^3+y^3)\mathrm{d}\sigma>0$　　B. $\iint\limits_{x^2+y^2\leqslant 1}(x^2+y^2)\mathrm{d}\sigma>0$

C. $\iint\limits_{x^2+y^2\leqslant 1}(x+y)\mathrm{d}\sigma>0$　　D. $\iint\limits_{x^2+y^2\leqslant 1}(x-y)\mathrm{d}\sigma>0$

二、计算题（本大题共4小题，每小题9分，共36分）

1. 已知$\boldsymbol{A}=\begin{pmatrix}3&-2&0\\-2&2&-2\\0&-2&1\end{pmatrix}$的特征值为$-1,2,5$，求正交矩阵$\boldsymbol{P}$，使得$\boldsymbol{P}^{-1}\boldsymbol{AP}$为对角矩阵.

2. 用点向式方程及参数式方程表示直线$L:\begin{cases}x-y+z=1\\2x+y+z=4\end{cases}$.

3. 设函数$f(x)$在$[0,1]$上连续，并设$\int_0^1 f(x)\mathrm{d}x=A$，求$\int_0^1\mathrm{d}x\int_x^1 f(x)f(y)\mathrm{d}y$.

4. 设随机变量X的概率密度为$f(x)=\begin{cases}0.003x^2, & 0\leqslant x\leqslant 10\\ 0, & \text{其他}\end{cases}$，求$t$的方程$t^2+2Xt+5X-4=0$有实根的概率.

三、解答题（本大题共 2 小题，每小题 12 分，共 24 分）

1. 设 $\boldsymbol{\varepsilon}_1=(1,0,1)$, $\boldsymbol{\varepsilon}_2=(0,1,0)$, $\boldsymbol{\varepsilon}_3=(0,0,1)$，求证：对任意的 $\boldsymbol{\alpha}\in\mathbf{R}^3$，在 $\mathbf{R}$ 中都有唯一的一组数 a_1,a_2,a_3 使 $\boldsymbol{\alpha}=a_1\boldsymbol{\varepsilon}_1+a_2\boldsymbol{\varepsilon}_2+a_3\boldsymbol{\varepsilon}_3$.

2. 设 $f(x)$, $g(x)$ 在 $[a,b]$ 上连续，证明：至少存在一个 $\xi\in(a,b)$ 使得

$$f(\xi)\int_{\xi}^{b}g(x)\mathrm{d}x=g(\xi)\int_{a}^{\xi}f(x)\mathrm{d}x.$$

《数学学科知识》模拟训练七

注意事项：

1. 考试时间为 120 分钟，满分 100 分.
2. 请按规定在答题区域内答题，否则作答无效.

一、单项选择题（本大题共 8 小题，每小题 5 分，共 40 分）

1. 极限 $\lim\limits_{n\to+\infty}\dfrac{1-\frac{1}{2}+\frac{1}{2^2}+\cdots+(-1)^n\frac{1}{2^n}}{1+\frac{1}{3}+\frac{1}{3^2}+\cdots+\frac{1}{3^n}}=$（　　）.

A. $\dfrac{4}{9}$　　B. $-\dfrac{4}{9}$　　C. $\dfrac{9}{4}$　　D. $-\dfrac{9}{4}$

2. 下列排列为 5 阶偶排列的是（　　）.

A. 24 315　　B. 14 325　　C. 41 523　　D. 24 351

3. 方程 $3x^2+3y^2-z^2=0$ 表示旋转曲面，它的旋转轴是（　　）.

A. x 轴　　B. y 轴　　C. z 轴　　D. 任一条直线

4. 设 $\boldsymbol{A},\boldsymbol{B}$ 为 n 阶可逆矩阵，下面各式恒正确的是（　　）.

A. $\left|(\boldsymbol{A}+\boldsymbol{B})^{-1}\right|=\left|\boldsymbol{A}^{-1}\right|+\left|\boldsymbol{B}^{-1}\right|$　　B. $\left|(\boldsymbol{AB})^{\mathrm{T}}\right|=|\boldsymbol{A}||\boldsymbol{B}|$

C. $\left|(\boldsymbol{A}^{-1}+\boldsymbol{B})^{T}\right|=\left|\boldsymbol{A}^{-1}\right|+|\boldsymbol{B}|$　　D. $(\boldsymbol{A}+\boldsymbol{B})^{-1}=\boldsymbol{A}^{-1}+\boldsymbol{B}^{-1}$

5. 已知对随机事件 A,B,C，有 $P(A)=P(B)=P(C)=\dfrac{1}{4},P(BC)=0$，

$P(AB)=P(AC)=\dfrac{1}{8}$，则 A,B,C 至少有一个发生的概率为（　　）.

A. $\dfrac{3}{8}$　　B. $\dfrac{5}{8}$　　C. $\dfrac{7}{8}$　　D. $\dfrac{1}{2}$

6. $\sum_{n=1}^{\infty}a_n$ 是正项级数，前 n 项和为 $S_n=\sum_{k=1}^{n}a_k$，则数列 $\{S_n\}$ 有界是 $\sum_{n=1}^{\infty}a_n$ 收敛的（　　）.

A. 充分条件　　B. 必要条件

C. 充分必要条件　　D. 既非充分条件，也非必要条件

7. 设 $\boldsymbol{\alpha}=(a_1,\ a_2,\ a_3)^{\mathrm{T}}$，$\boldsymbol{\beta}=(b_1,\ b_2,\ b_3)^{\mathrm{T}}$，$\boldsymbol{\alpha}_1=(a_1,\ a_2)^{\mathrm{T}}$，$\boldsymbol{\beta}_1=(b_1,\ b_2)^{\mathrm{T}}$，则下列说法正确的是（　　）.

A. 若 $\boldsymbol{\alpha},\boldsymbol{\beta}$ 线性相关，则 $\boldsymbol{\alpha}_1,\boldsymbol{\beta}_1$ 也线性相关

B. 若 $\boldsymbol{\alpha},\boldsymbol{\beta}$ 线性无关，则 $\boldsymbol{\alpha}_1,\boldsymbol{\beta}_1$ 也线性无关

C. 若 $\boldsymbol{\alpha}_1,\boldsymbol{\beta}_1$ 线性相关，则 $\boldsymbol{\alpha},\boldsymbol{\beta}$ 也线性相关

D. 以上都不对

8. 设 $z=\arctan\dfrac{y}{x}$，则 $\dfrac{\partial^2 z}{\partial x\partial y}=$（　　）.

A. $\dfrac{-2xy}{(x^2+y^2)^2}$　　B. $\dfrac{2xy}{(x^2+y^2)^2}$

C. $\dfrac{y^2-x^2}{(x^2+y^2)^2}$　　D. $\dfrac{x^2-y^2}{(x^2+y^2)^2}$

二、计算题（本大题共 4 小题，每小题 9 分，共 36 分）

1. 用其导出组的基础解系表示下面方程组的全部解：

$$\begin{cases}x_1+2x_2-x_3-2x_4=0\\2x_1-x_2-x_3+x_4=1\\3x_1+x_2-2x_3-x_4=1\end{cases}.$$

2. 求过点 $M_0(0,1,2)$ 且与直线 $\dfrac{x-1}{1}=\dfrac{y-1}{-1}=\dfrac{z}{2}$ 垂直相交的直线方程.

3. 求不定积分$\int\left(x+\frac{1}{x}\right)^2\mathrm{d}x$.

4. 设A,B,C是三个随机事件，且有$A\supset B$，$A\supset C$，$P(A)=0.9$，$P(\overline{B}\cup\overline{C})=0.8$，求$P(A-BC)$.

三、解答题（本大题共 2 小题，每小题 12 分，共 24 分）

1. 用正交变换法化二次型$f(x_1,x_2,x_3)=x_1^{\ 2}-2x_2^{\ 2}-2x_3^{\ 2}-4x_1x_2+4x_1x_3+8x_2x_3$为标准形.

2. 设$f(x)$是定义在整个实数集上，且以T为周期的连续函数，a为任意常数，则

$$\int_a^{a+T}f(x)\mathrm{d}x=\int_0^T f(x)\mathrm{d}x.$$

《数学学科知识》模拟训练八

注意事项：

1. 考试时间为 120 分钟，满分 100 分.
2. 请按规定在答题区域内答题，否则作答无效.

一、单项选择题（本大题共 8 小题，每小题 5 分，共 40 分）

1. 极限$\lim\limits_{n\to\infty}\left(\frac{1}{1\cdot 2}+\frac{1}{2\cdot 3}+\cdots+\frac{1}{n(n+1)}\right)=$（　　）.

A. -1　　B. 0　　C. 1　　D. ∞

2. $\begin{vmatrix}0&0&1&0\\0&1&0&0\\0&0&0&1\\1&0&0&0\end{vmatrix}=$（　　）.

A. 0　　B. -1　　C. 1　　D. 2

3. 平面 $x=a$ 截曲面 $\frac{x^2}{a^2}+\frac{y^2}{b^2}-\frac{z^2}{c^2}=1$ 所得截线为（　　）.

A. 椭圆　　B. 双曲线　　C. 抛物线　　D. 两相交直线

4. 设方阵 $\boldsymbol{A},\boldsymbol{B},\boldsymbol{C}$ 满足 $\boldsymbol{AB}=\boldsymbol{AC}$，当 $\boldsymbol{A}$ 满足（　　）时，$\boldsymbol{B}=\boldsymbol{C}$.

A. $\boldsymbol{AB}=\boldsymbol{BA}$

B. $|\boldsymbol{A}|\neq 0$

C. 方程组 $\boldsymbol{AX}=\boldsymbol{0}$ 有非零解

D. $\boldsymbol{B},\boldsymbol{C}$ 可逆

5. 已知随机事件 A,B 满足 $P(A\cup B)=0.8$，$P(A)=0.2$，$P(\bar{B})=0.4$，则（　　）.

A. $P(\bar{A}\,\bar{B})=0.32$　　B. $P(\bar{A}\,\bar{B})=0.2$

C. $P(B-A)=0.4$　　D. $P(\bar{B}A)=0.48$

6. 积分 $\int\frac{1}{x^2(1+x^2)}\mathrm{d}x=$（　　）.

A. $-\frac{1}{x}+\arctan x+C$　　B. $\frac{1}{x}-\arctan x+C$

C. $-\frac{1}{x}-\arctan x+C$　　D. $\frac{1}{x}+\arctan x+C$

7. 设 $\boldsymbol{A}$ 为 n 阶方阵，$\boldsymbol{A}^*$ 为 $\boldsymbol{A}$ 的伴随矩阵，则（　　）.

A. $|\boldsymbol{A}^*|=|\boldsymbol{A}^{-1}|$　　B. $|\boldsymbol{A}^*|=|\boldsymbol{A}|$

C. $|\boldsymbol{A}^*|=|\boldsymbol{A}|^{n+1}$　　D. $|\boldsymbol{A}^*|=|\boldsymbol{A}|^{n-1}$

8. 如果 $z=\ln\sqrt{x^2+y^2}$，则 $\frac{\partial^2 z}{\partial x\partial y}=$（　　）.

A. $\frac{-2xy}{(x^2+y^2)^2}$　　B. $\frac{2xy}{(x^2+y^2)^2}$

C. $\frac{y^2-x^2}{(x^2+y^2)^2}$　　D. $\frac{x^2-y^2}{(x^2+y^2)^2}$

二、计算题（本大题共 4 小题，每小题 9 分，共 36 分）

1. 已知二次型 $f(x_1,x_2,x_3)=\boldsymbol{x}^{\mathrm{T}}\boldsymbol{A}\boldsymbol{x}$ 在正交变换 $\boldsymbol{x}=\boldsymbol{Q}\boldsymbol{y}$ 下的标准形为

$y_1^2+y_2^2$，且 $\boldsymbol{Q}$ 的第 3 列为 $\left(\dfrac{\sqrt{2}}{2},0,\dfrac{\sqrt{2}}{2}\right)^{\mathrm{T}}$，求矩阵 $\boldsymbol{A}$.

2. 求过点 $(4,-1,3)$ 且平行于直线 $\dfrac{x-3}{2}=\dfrac{y}{1}=\dfrac{z-1}{5}$ 的直线方程.

3. 计算 $I=\iiint\limits_{\Omega}(x+y+z)\mathrm{d}x\mathrm{d}y\mathrm{d}z$, Ω 由平面 $x+y+z=1$ 及三坐标轴所围区域.

4. 设 $X_1,\cdots,X_{100}$ 表示 100 袋额定质量为 25 kg 袋装肥料的真实净重，$E(X_i)=25\ \mathrm{kg}, D(X_i)=1, i=1,2,\cdots,100$，$X_1,\cdots,X_{100}$ 服从同一分布，且相互独立. $\overline{X}=\dfrac{1}{100}\sum\limits_{i=1}^{100}X_i$，求 $P\{24.75\leqslant\overline{X}\leqslant 25.25\}$ 的近似值.

三、解答题（本大题共 2 小题，每小题 12 分，共 24 分）

1. 设 $V=\mathbf{R}^2$，判断下面 V 到 V 的映射哪些是 V 的线性变换，哪些不是？

（1）$\boldsymbol{\alpha}=\begin{pmatrix}x\\y\end{pmatrix}\in V$, $f(\boldsymbol{\alpha})=\begin{pmatrix}x+y\\y\end{pmatrix}$；

（2）$\boldsymbol{\alpha}=\begin{pmatrix}x\\y\end{pmatrix}\in V$, $f(\boldsymbol{\alpha})=\begin{pmatrix}x-y\\y\end{pmatrix}$；

（3）$\boldsymbol{\alpha}=\begin{pmatrix}x\\y\end{pmatrix}\in V$, $f(\boldsymbol{\alpha})=\begin{pmatrix}2+y\\x+y\end{pmatrix}$；

（4）$\boldsymbol{\alpha}=\begin{pmatrix}x\\y\end{pmatrix}\in V$, $f(\boldsymbol{\alpha})=\boldsymbol{\alpha}+\boldsymbol{\alpha}_0$，$\boldsymbol{\alpha}_0\in V$ 是一个固定的非零向量；

（5）$\boldsymbol{\alpha}=\begin{pmatrix}x\\y\end{pmatrix}\in V$, $f(\boldsymbol{\alpha})=\boldsymbol{\alpha}_0$，$\boldsymbol{\alpha}_0\in V$ 是一个固定的非零向量.

2. 已知 $f(x)$ 为连续函数，证明：

$$\int_0^1 \ln f(x+t)\mathrm{d}t=\int_0^x \ln\frac{f(1+t)}{f(t)}\mathrm{d}t+\int_0^1 \ln f(t)\mathrm{d}t.$$

《数学学科知识》模拟训练九

注意事项：

1. 考试时间为 120 分钟，满分 100 分.
2. 请按规定在答题区域内答题，否则作答无效.

一、单项选择题（本大题共 8 小题，每小题 5 分，共 40 分）

1. 已知 $f(x)$ 的定义域是 $[0,1]$，则 $f(\arcsin x)$ 的定义域为（　　）.

A. $[0,\ 1]$　　B. $\left[0,\ \frac{1}{2}\right]$　　C. $\left[0,\ \frac{\pi}{2}\right]$　　D. $[0,\ \pi]$

2. 如果 n 阶排列 $j_1j_2\cdots j_n$ 的逆序数是 k，则排列 $j_n\cdots j_2j_1$ 的逆序数是（　　）.

A. k　　B. $n-k$　　C. $\frac{n!}{2}-k$　　D. $\frac{n(n-1)}{2}-k$

3. 点 $P(1,3,-4)$ 关于平面 $\Pi: 3x+y-2z=0$ 的对称点 Q 的坐标是（　　）.

A. $(5,-1,0)$　　B. $(5,1,0)$　　C. $(-5,-1,0)$　　D. $(-5,1,0)$

4. $\boldsymbol{A},\boldsymbol{B}$ 为 n 阶方阵，则下列各式中成立的是（　　）.

A. $\left|\boldsymbol{A}^2\right|=\left|\boldsymbol{A}\right|^2$　　B. $\boldsymbol{A}^2-\boldsymbol{B}^2=(\boldsymbol{A}-\boldsymbol{B})(\boldsymbol{A}+\boldsymbol{B})$

C. $(\boldsymbol{A}-\boldsymbol{B})\boldsymbol{A}=\boldsymbol{A}^2-\boldsymbol{AB}$　　D. $(\boldsymbol{AB})^{\mathrm{T}}=\boldsymbol{A}^{\mathrm{T}}\boldsymbol{B}^{\mathrm{T}}$

5. 下列概率密度函数中，不是正态分布的密度函数的是（　　）.

A. $p(x)=\frac{1}{2\sqrt{\pi}}\mathrm{e}^{-\frac{x^2}{4}}$　　B. $p(x)=\frac{1}{4\sqrt{\pi}}\mathrm{e}^{-\frac{(x-2)^2}{12}}$

C. $p(x)=\frac{1}{4\sqrt{\pi}}\mathrm{e}^{-\frac{(x-2)^2}{16}}$　　D. $p(x)=\frac{1}{2\sqrt{\pi}}\mathrm{e}^{-\frac{(x+1)^2}{4}}$

6. 已知 $\Phi(x)=\int_0^{\sqrt{x}}\sqrt{1+t^2}\mathrm{d}t$，则 $\Phi'(x)=$（　　）.

A. $\sqrt{1+x}$　　B. $\frac{\sqrt{1+x}}{2}$　　C. $\frac{\sqrt{1+x}}{\sqrt{x}}$　　D. $\frac{\sqrt{1+x}}{2\sqrt{x}}$.

7. 设 $\boldsymbol{A}$ 为 n 阶方阵，$r(\boldsymbol{A})=r<n$，则在 $\boldsymbol{A}$ 的 n 个行向量中（　　）.

A. 必有 r 个行向量线性无关

B. 任意 r 个行向量线性无关

C. 任意 r 个行向量都构成极大线性无关组

D. 任意一个行向量都能被其他 r 个行向量线性表示

8. 如果 $z=x^y$，则 $\dfrac{\partial^2 z}{\partial x\partial y}=$（　　）.

A. $x^{y-1}(1+y\ln x)$　　B. $x^{y-1}(1-y\ln x)$

C. $x^{y-1}(1+x\ln y)$　　D. $x^{y-1}(1-x\ln y)$

二、计算题（本大题共 4 小题，每小题 9 分，共 36 分）

1. 给定向量组 $\boldsymbol{\alpha}_1=(1,1,1,1)^{\mathrm{T}}$，$\boldsymbol{\alpha}_2=(1,-1,1,-1)^{\mathrm{T}},\boldsymbol{\alpha}_3=(1,3,1,3)^{\mathrm{T}}$，$\boldsymbol{\alpha}_4=(1,-1,-1,1)^{\mathrm{T}}$，求该向量组的秩，并确定一个极大无关组，将其余向量用该极大无关组线性表示.

2. 设 $u=f(x,y,z),\varphi(x^2,\mathrm{e}^y,z)=0,y=\sin x$，其中 f,φ 都具有一阶连续偏导数，且 $\dfrac{\partial\varphi}{\partial z}\neq 0$，求 $\dfrac{\mathrm{d}u}{\mathrm{d}x}$.

3. 已知某平面在 y，z 轴上的截距分别为 30，10，且与 $\vec{r}=\{2,1,3\}$ 平行，求该平面方程.

4. 一种用来检验 50 岁以上的人是否患有关节炎的检验法，对于 85%的确实患关节炎的病人给出了正确的结果；而对于已知未患关节炎的人有 4%会认为他患关节炎. 已知人群中有 10% 的人患有关节炎，问：一名被检验者经检验认为他没有关节炎而他确实有关节炎的概率.

三、解答题（本大题共 2 小题，每小题 12 分，共 24 分）

1. 已知 n 维列向量组 $\boldsymbol{\alpha}_1,\boldsymbol{\alpha}_2,\cdots,\boldsymbol{\alpha}_s$ 线性相关，$\boldsymbol{A}$ 为 n 阶方阵，证明：向量组 $\boldsymbol{A\alpha}_1,\boldsymbol{A\alpha}_2,\cdots,\boldsymbol{A\alpha}_s$ 线性相关.

2. 设 $\varphi(t)$ 是正值连续函数，$f(x)=\int_{-a}^{a}|x-t|\varphi(t)\mathrm{d}t,-a\leqslant x\leqslant a(a>0)$，则曲线 $y=f(x)$ 在 $[-a,a]$ 上是凹的.

《数学学科知识》模拟训练十

注意事项：

1. 考试时间为 120 分钟，满分 100 分.
2. 请按规定在答题区域内答题，否则作答无效.

一、单项选择题（本大题共 8 小题，每小题 5 分，共 40 分）

1. 如果 $f(\cos x)=\dfrac{\sin^2 x}{\cos 2x}$，则 $f(x)=$（　　）.

A. $\dfrac{1+x^2}{2x^2-1}$　　B. $\dfrac{1-x^2}{2x^2+1}$　　C. $\dfrac{1-x^2}{2x^2-1}$　　D. $\dfrac{1+x^2}{2x^2+1}$

2. 如果 $\boldsymbol{A}\begin{pmatrix} a_{11} & a_{12} & a_{13} \\ a_{21} & a_{22} & a_{23} \\ a_{31} & a_{32} & a_{33} \end{pmatrix}=\begin{pmatrix} a_{11}-3a_{31} & a_{12}-3a_{32} & a_{13}-3a_{33} \\ a_{21} & a_{22} & a_{23} \\ a_{31} & a_{32} & a_{33} \end{pmatrix}$，则 $\boldsymbol{A}=$（　　）.

A. $\begin{pmatrix} 1 & 0 & 0 \\ 0 & 1 & 0 \\ -3 & 0 & 1 \end{pmatrix}$　　B. $\begin{pmatrix} 1 & 0 & -3 \\ 0 & 1 & 0 \\ 0 & 0 & 1 \end{pmatrix}$

C. $\begin{pmatrix} 0 & 0 & -3 \\ 0 & 1 & 0 \\ 1 & 0 & 1 \end{pmatrix}$　　D. $\begin{pmatrix} 1 & 0 & 0 \\ 0 & 1 & 0 \\ 0 & -3 & 1 \end{pmatrix}$

3. 平面 $2x+3y+6z-35=0$ 和平面 $2x+3y+6z-56=0$ 的位置关系是（　　）.

A. 垂直　　B. 重合　　C. 斜交　　D. 平行

4. n 阶方阵 $\boldsymbol{A}$ 可逆的充分必要条件是（　　）.

A. $r(\boldsymbol{A})=r<n$

B. $\boldsymbol{A}$ 的列秩为 n

C. $\boldsymbol{A}$ 的每一个行向量都是非零向量

D. 伴随矩阵存在

5. 下列函数可作为某随机变量的密度函数的是（　　）.

A. $p(x)=\begin{cases}\sin x, & 0<x<\dfrac{\pi}{2}\\ 0, & 其他\end{cases}$　　B. $p(x)=\begin{cases}\sin x, & 0<x<\dfrac{3\pi}{2}\\ 0, & 其他\end{cases}$

C. $p(x)=\begin{cases}\sin x, & 0<x<\pi\\ 0, & 其他\end{cases}$　　D. $p(x)=\begin{cases}\sin x, & 0<x<2\pi\\ 0, & 其他\end{cases}$

6. 已知 $\dfrac{(x+ay)\mathrm{d}x+y\mathrm{d}y}{(x+y)^2}$ 为某函数的全微分，则 $a=$（　　）.

A. -1　　B. 0　　C. 2　　D. 1

7. 设 $\boldsymbol{A},\boldsymbol{B},\boldsymbol{C},\boldsymbol{I}$ 为同阶方阵，$\boldsymbol{I}$ 为单位矩阵，若 $\boldsymbol{ABC}=\boldsymbol{I}$，则（　　）.

A. $\boldsymbol{ACB}=\boldsymbol{I}$　　B. $\boldsymbol{CAB}=\boldsymbol{I}$

C. $\boldsymbol{CBA}=\boldsymbol{I}$　　D. $\boldsymbol{BAC}=\boldsymbol{I}$

8. 下列级数中，条件收敛的级数是（　　）.

A. $\sum\limits_{n=1}^{\infty}(-1)^n\dfrac{n}{2n+10}$　　B. $\sum\limits_{n=1}^{\infty}(-1)^{n-1}\dfrac{1}{\sqrt{n^3}}$

C. $\sum\limits_{n=1}^{\infty}(-1)^{n+1}\left(\dfrac{1}{2}\right)^n$　　D. $\sum\limits_{n=1}^{\infty}(-1)^{n-1}\dfrac{3}{\sqrt{n}}$

二、计算题（本大题共 4 小题，每小题 9 分，共 36 分）

1. 设三阶矩阵 $\boldsymbol{A}$ 的特征值分别为−1，2，5，矩阵 $\boldsymbol{B}=3\boldsymbol{A}-\boldsymbol{A}^2$，求

（1）$\boldsymbol{B}$ 的特征值；

（2）$\boldsymbol{B}$ 可否对角化，若可对角化，求出与 B 相似的对角阵；

（3）求 $|\boldsymbol{B}|,|\boldsymbol{A}-3\boldsymbol{E}|$.

2. 求不定积分 $\int(x^3+2x+5)\cos 2x\mathrm{d}x$.

3. 求过 $P_1(3,-2,1)$，$P_2(-1,0,2)$ 两点的直线方程.

4. 一教授当下课铃响起时，还不结束讲解，他常结束他的讲解在铃响后的一分钟以内. 以 X 表示铃响至结束讲解的时间，设 X 的概率密度为

$$f(x)=\begin{cases}kx^2, & 0\leqslant x\leqslant 1\\ 0, & 其他\end{cases}$$

（1）确定 k；（2）求 $P\left\{X \leqslant \frac{1}{3}\right\}$；（3）求 $P\left\{\frac{1}{4} \leqslant X \leqslant \frac{1}{2}\right\}$；（4）求 $P\left\{X > \frac{2}{3}\right\}$.

三、解答题（本大题共 2 小题，每小题 12 分，共 24 分）

1. 设 $V=\mathbf{R}^3$，$\boldsymbol{\alpha}=(x,y,z)\in V$，定义 $f(\boldsymbol{\alpha})=(x+2y-z,y+z,x+y-2z)$，证明：$f$ 是 V 的一个线性变换.

2. 设函数 $f(x)$ 可导，且 $f(0)=0,\ F(x)=\int_0^x t^{n-1}f(x^n-t^n)\mathrm{d}t$，证明：

$$\lim_{x\to 0}\frac{F(x)}{x^{2n}}=\frac{1}{2n}f'(0).$$

《数学学科知识》模拟训练一　参考答案

一、单项选择题（共 40 分，每题 5 分）

1	2	3	4	5	6	7	8
D	D	A	B	B	D	D	A

二、计算题（共 36 分，每题 9 分）

1. **解**　令 $\begin{cases} x_1=y_1 \\ x_2=y_1+y_2 \\ x_3=y_3 \end{cases}$，即 $\boldsymbol{X}=\begin{pmatrix} 1 & 0 & 0 \\ 1 & 1 & 0 \\ 0 & 0 & 1 \end{pmatrix}\boldsymbol{Y}=\boldsymbol{C}_1\boldsymbol{Y}$，则

$$f(x_1,x_2,x_3)=y_1^2+y_1y_2+y_1y_3=\left(y_1+\frac{1}{2}y_2+\frac{1}{2}y_3\right)^2-\frac{1}{4}\left(y_2+y_3\right)^2$$

令 $\begin{cases} w_1=y_1+\frac{1}{2}y_2+\frac{1}{2}y_3 \\ w_2=y_2+y_3 \\ w_3=y_3 \end{cases}$，则 $\boldsymbol{Y}=\begin{pmatrix} 1 & -\frac{1}{2} & -1 \\ 0 & 1 & -1 \\ 0 & 0 & 1 \end{pmatrix}\boldsymbol{W}=\boldsymbol{C}_2\boldsymbol{W}$，

即 $\boldsymbol{X}=\boldsymbol{C}_1\boldsymbol{C}_2\boldsymbol{W}$ 使 $f(x_1,x_2,x_3)=w_1^2-\frac{1}{4}w_2^2$.

2. **解**　当 $t=0$ 时，$\begin{cases} x=0 \\ y=1 \\ z=2 \end{cases}$，则

$$\begin{cases} x' = \mathrm{e}^t \cos t, x'(0)=1, \\ y' = 2\cos t - \sin t, y'(0)=2, \\ z' = 3\mathrm{e}^{3t}, z'(0)=3. \end{cases}$$

故

切线方程：$\dfrac{x-0}{1}=\dfrac{y-1}{2}=\dfrac{z-2}{3}$，

法平面方程：$x+2(y-1)+3(z-2)=0$，即 $x+2y+3z-8=0$．

3. **解**　$$\frac{\partial z}{\partial x}=\frac{1}{\sqrt{1-\left(\dfrac{x}{\sqrt{x^2+y^2}}\right)^2}}\cdot\frac{\sqrt{x^2+y^2}-x\dfrac{x}{\sqrt{x^2+y^2}}}{\left(\sqrt{x^2+y^2}\right)^2}=\frac{|y|}{x^2+y^2},$$

$$\frac{\partial^2 z}{\partial x^2}=\frac{\partial}{\partial x}\left(\frac{|y|}{x^2+y^2}\right)=-\frac{2x|y|}{(x^2+y^2)^2},$$

$$\frac{\partial^2 z}{\partial x\partial y}=\frac{\partial}{\partial y}\left(\frac{|y|}{x^2+y^2}\right)=\begin{cases} \dfrac{x^2-y^2}{(x^2+y^2)^2}, & y>0 \\ -\dfrac{x^2-y^2}{(x^2+y^2)^2}, & y<0 \end{cases}.$$

4. **解**　（1）$\int_0^1 x\mathrm{d}x+\int_1^2 (A-x)\mathrm{d}x=1 \Rightarrow A=2$；

（2）$$F(x)=\begin{cases} 0, & x<0 \\ \int_0^x x\mathrm{d}x, & 0\leqslant x<1 \\ \int_0^1 x\mathrm{d}x+\int_1^x (2-x)\mathrm{d}x, & 1\leqslant x<2 \\ 1, & x\geqslant 2 \end{cases}=\begin{cases} 0, & x<0 \\ \dfrac{x^2}{2}, & 0\leqslant x<1 \\ -\dfrac{x^2}{2}+2x-1, & 1\leqslant x<2 \\ 1, & x\geqslant 2 \end{cases};$$

（3）$P(0.5<X<1)=F(1)-F(0.5)=\dfrac{3}{8}$．

三、解答题（共 24 分，每题 12 分）

1. **证明**　因为 $\boldsymbol{\xi}_1,\boldsymbol{\xi}_2,\cdots,\boldsymbol{\xi}_{n-r}$ 是对应的齐次线性方程组 $\boldsymbol{Ax}=\boldsymbol{0}$ 的一个基础解系，所以 $\boldsymbol{\xi}_1,\boldsymbol{\xi}_2,\cdots,\boldsymbol{\xi}_{n-r}$ 线性无关，

对于 $k\boldsymbol{\eta}^*+k_1\boldsymbol{\xi}_1+k_2\boldsymbol{\xi}_2+\cdots+k_{n-r}\boldsymbol{\xi}_{n-r}=\boldsymbol{0}$ 中，两端左乘矩阵 $\boldsymbol{A}$，得到

$$k\boldsymbol{A\eta}^*+k_1\boldsymbol{A\xi}_1+k_2\boldsymbol{A\xi}_2+\cdots+k_{n-r}\boldsymbol{A\xi}_{n-r}=\boldsymbol{0},$$

即 $kb=0$，所以 $k=0$，且 $k_1=k_2=\cdots=k_{n-r}=0$.
故 $\boldsymbol{\eta}^*,\boldsymbol{\xi}_1,\boldsymbol{\xi}_2,\cdots,\boldsymbol{\xi}_{n-r}$ 线性无关.

2. **证明**　由题意知，可对 $f(x)$ 在 $[a,c]$，$[c,b]$ 上分别利用拉格朗日中值定理，于是有

$$f'(\xi_1)=\frac{f(c)-f(a)}{c-a},\xi_1\in(a,c)，\quad f'(\xi_2)=\frac{f(b)-f(c)}{b-c},\xi_2\in(c,b).$$

因为 A，B，C 在同一直线上，所以

$$\frac{f(c)-f(a)}{c-a}=\frac{f(b)-f(c)}{b-c}=\frac{f(b)-f(a)}{b-a},$$

故 $f'(\xi_1)=f'(\xi_2)$ 因而 $f'(x)$ 在 $[\xi_1,\xi_2]$ 上满足罗尔定理.

于是，存在一个 $\xi\in(\xi_1,\xi_2)\subset(a,b)$，使得 $f''(\xi)=0$.

《数学学科知识》模拟训练二　参考答案

一、单项选择题（共 40 分，每题 5 分）

1	2	3	4	5	6	7	8
D	A	C	B	B	A	D	D

二、计算题（共 36 分，每题 9 分）

1. **解**　（1）$P=\begin{pmatrix}-1 & 1\\ 1 & 1\end{pmatrix}$；（2）$P=\begin{pmatrix}1 & 1 & -3\\ -2 & 1 & 1\\ 1 & 2 & 2\end{pmatrix}$.

2. **解**　$M(-1,3,-2)$ 在 xOy 坐标面上的垂足为 $(-1,3,0)$，在 yOz 坐标面上的垂足为 $(0,3,-2)$，在 zOx 坐标面上的垂足为 $(-1,0,-2)$；

$M(-1,3,-2)$ 在 x 轴的垂足为 $(-1,0,0)$，在 y 轴的垂足为 $(0,3,0)$，在 z 轴的垂足为 $(0,0,-2)$；$M(-1,3,-2)$ 到 x 轴的距离为 $\sqrt{3^2+(-2)^2}=\sqrt{13}$；

$M(-1,3,-2)$ 到 y 轴的距离为 $\sqrt{(-1)^2+(-2)^2}=\sqrt{5}$；

$M(-1,3,-2)$ 到 z 轴的距离为 $\sqrt{(-1)^2+3^2}=\sqrt{10}$.

3. **解**　（1）显然有 $f(0)=0$，$f(1)=\dfrac{1}{2}$，$f(-1)=-\dfrac{1}{2}$；

（2）当 $0<x<1$ 时，$1+\sin\pi x>1$，有 $\lim\limits_{n\to\infty}(1+\sin\pi x)^n=\infty$，所以 $f(x)=x$；

（3）当 $-1<x<0$ 时，$0<1+\sin\pi x<1$，有 $\lim\limits_{n\to\infty}(1+\sin\pi x)^n=0$，所以 $f(x)=\sin\pi x$，从而

$$f(x)=\begin{cases}-\dfrac{1}{2}, & x=-1\\ \sin\pi x, & -1<x<0\\ x, & 0\leqslant x<1\\ \dfrac{1}{2}, & x=1\end{cases}.$$

4. **解**　（1）$f_X(x)=\displaystyle\int_{-\infty}^{+\infty}f(x,y)\mathrm{d}y=\begin{cases}\displaystyle\int_0^{+\infty}\dfrac{x^3}{2}\mathrm{e}^{-x(1+y)}\mathrm{d}y=\dfrac{x^2}{2}\mathrm{e}^{-x}, & x>0\\ 0, & \text{其他}\end{cases}.$

（2）当 $x>0$ 时，

$$f_{Y|X}(y\mid x)=\frac{f(x,y)}{f_X(x)}=\begin{cases}x\mathrm{e}^{-xy}, & y>0\\ 0, & \text{其他}\end{cases}.$$

特别地，当 $x=0.5$ 时，

$$f_{Y|X}(y\mid x=0.5)=\begin{cases}0.5\mathrm{e}^{-0.5y}, & y>0\\ 0, & \text{其他}\end{cases}.$$

（3）$P\{Y\geqslant 1\mid X=0.5\}=\displaystyle\int_1^{+\infty}f_{Y|X}(y\mid x=0.5)\mathrm{d}y=\int_1^{+\infty}0.5\mathrm{e}^{-0.5y}\mathrm{d}y=\mathrm{e}^{-0.5}$.

三、解答题（共 24 分，每题 12 分）

1．**证明**　$k_1(\boldsymbol{\alpha}_1+\boldsymbol{\alpha}_2)+k_2(\boldsymbol{\alpha}_2+\boldsymbol{\alpha}_3)+k_3(\boldsymbol{\alpha}_3+\boldsymbol{\alpha}_1)=\mathbf{0}$，

$$(k_1+k_3)\boldsymbol{\alpha}_1+(k_1+k_2)\boldsymbol{\alpha}_2+(k_2+k_3)\boldsymbol{\alpha}_3=\mathbf{0}.$$

因为 $\boldsymbol{\alpha}_1,\boldsymbol{\alpha}_2,\boldsymbol{\alpha}_3$ 线性无关，则有

$$\begin{cases} k_1+k_3=0 \\ k_1+k_2=0 \\ k_2+k_3=0 \end{cases},$$

解得 $k_1=k_2=k_3=0$．

所以向量组 $\boldsymbol{\alpha}_1+\boldsymbol{\alpha}_2,\boldsymbol{\alpha}_2+\boldsymbol{\alpha}_3,\boldsymbol{\alpha}_3+\boldsymbol{\alpha}_1$ 线性无关.

2．**证明**　由 $f(x)$ 在 $(0,+\infty)$ 上连续且单调递减可得

$$f(i+1)\leqslant f(i)\ \ (i=1,2,3,\cdots,n),$$

因此，由比较定理得

$$\begin{aligned}\int_1^{n+1}f(x)\mathrm{d}x&=\int_1^2 f(x)\mathrm{d}x+\int_2^3 f(x)\mathrm{d}x+\cdots+\int_n^{n+1}f(x)\mathrm{d}x\\&\leqslant\int_1^2 f(1)\mathrm{d}x+\int_2^3 f(2)\mathrm{d}x+\cdots+\int_n^{n+1}f(n)\mathrm{d}x\\&=f(1)+f(2)+\cdots+f(n)=\sum_{k=1}^n f(k),\end{aligned}$$

$$\begin{aligned}f(x)+\int_1^n f(x)\mathrm{d}x&=f(1)+\int_1^2 f(x)\mathrm{d}x+\int_2^3 f(x)\mathrm{d}x+\cdots+\int_{n-1}^n f(x)\mathrm{d}x\\&\geqslant f(1)+\int_1^2 f(x)\mathrm{d}x+\int_2^3 f(x)\mathrm{d}x+\cdots+\int_{n-1}^n f(x)\mathrm{d}x\\&=f(1)+f(2)+\cdots+f(n)=\sum_{k=1}^n f(k).\end{aligned}$$

《数学学科知识》模拟训练三　参考答案

一、单项选择题（共 40 分，每题 5 分）

1	2	3	4	5	6	7	8
A	D	C	B	B	B	A	D

二、计算题（共 36 分，每题 9 分）

1．**解**　（1）$y=6$；（2）特征值 2，2，6，$\boldsymbol{p}=\begin{pmatrix}-1 & 1 & 1\\ 1 & 0 & -2\\ 0 & 1 & 3\end{pmatrix}$.

2．**解**　$d=\dfrac{|1+2\times 2+2\times 1-10|}{\sqrt{1^2+2^2+2^2}}=1$.

3．**解**　$\lim\limits_{x\to\infty}\left[\dfrac{f\left(a+\dfrac{1}{n}\right)}{f(a)}\right]^n=\lim\limits_{x\to\infty}\left[1+\dfrac{f\left(a+\dfrac{1}{n}\right)-f(a)}{\dfrac{1}{n}}\cdot\dfrac{1}{nf(a)}\right]^n$

$$=\lim_{x\to\infty}\left[1+\frac{f\left(a+\frac{1}{n}\right)-f(a)}{\frac{1}{n}}\cdot\frac{1}{nf(a)}\right]^{\frac{f(a)}{f\left(a+\frac{1}{n}\right)-f(a)}\cdot\frac{f\left(a+\frac{1}{n}\right)-f(a)}{f(a)}n}.$$

因为

$$\lim_{n\to\infty}\frac{f\left(a+\dfrac{1}{n}\right)-f(a)}{f(a)}n=\lim_{n\to\infty}\frac{f\left(a+\dfrac{1}{n}\right)-f(a)}{\dfrac{1}{n}}\cdot\frac{1}{f(a)}=\frac{f'(a)}{f(a)},$$

所以

$$\lim_{x\to\infty}\left[\frac{f\left(a+\frac{1}{n}\right)}{f(a)}\right]^n=e^{\frac{f'(a)}{f(a)}}.$$

4. **解**　（1）因为

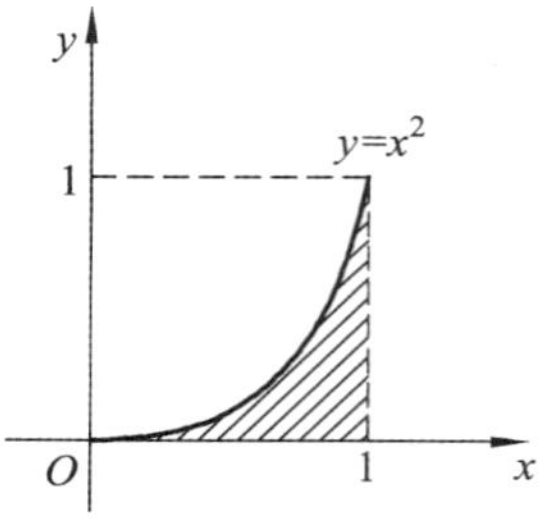

$$f_X(x)=\begin{cases}1,0<x<1\\0,\text{其他}\end{cases}，f_Y(y)=\begin{cases}\frac{1}{2}e^{-\frac{y}{2}},y>1\\0,\text{其他}\end{cases},$$

故

$$f(x,y)\xlongequal{X,Y\text{独立}}f_X(x)\cdot f_Y(y)=\begin{cases}\frac{1}{2}e^{-y/2},0<x<1,y>0\\0,\qquad\text{其他}\end{cases}.$$

（2）方程 $a^2+2Xa+Y=0$ 有实根，则

$$\Delta=(2X)^2-4Y\geqslant 0, X^2\geqslant Y.$$

从而方程有实根的概率：

$$\begin{aligned}P\{X^2\geqslant Y\}&=\iint\limits_{x^2\geqslant y}f(x,y)\mathrm{d}x\mathrm{d}y\\&=\int_0^1\mathrm{d}x\int_0^{x^2}\frac{1}{2}e^{-y/2}\mathrm{d}y=1-\sqrt{2\pi}(\Phi(1)-\Phi(0))=0.144\,5.\end{aligned}$$

三、解答题（共 24 分，每题 12 分）

1. **证明**　因为 $\boldsymbol{A\alpha}=\lambda\boldsymbol{\alpha}$，　有

$$\begin{aligned}(\boldsymbol{A}^5-4\boldsymbol{A}^3+\boldsymbol{E})\boldsymbol{\alpha}&=\boldsymbol{A}^5\boldsymbol{\alpha}-4\boldsymbol{A}^3\boldsymbol{\alpha}+\boldsymbol{\alpha}=\lambda^5\boldsymbol{\alpha}-4\lambda^3\boldsymbol{\alpha}+\boldsymbol{\alpha}\\&=(\lambda^5-4\lambda^3+1)\boldsymbol{\alpha}.\end{aligned}$$

根据特征值和特征向量的定义得，$\boldsymbol{\alpha}$ 也是 $\boldsymbol{A}^5-4\boldsymbol{A}^3+\boldsymbol{E}$ 的特征向量.

2. **证明**　令 $F(x)=\left(\int_a^x f(t)\mathrm{d}t\right)^2-(x-a)\int_a^x f^2(t)\mathrm{d}t$，则有

$$F'(x)=-\int_a^x (f(t)-f(x))^2 \mathrm{d}t \leqslant 0 .$$

所以 $f(x)$ 是 $[a,b]$ 上的减函数，又 $F(a)=0$， $F(b)\leqslant F(a)=0$，故

$$\left(\int_a^b f(x)\mathrm{d}x\right)^2 \leqslant (b-a)\int_a^b f^2(x)\mathrm{d}x .$$

《数学学科知识》模拟训练四　参考答案

一、单项选择题（共 40 分，每题 5 分）

1	2	3	4	5	6	7	8
B	D	B	C	D	D	B	A

二、计算题（共 36 分，每题 9 分）

1. **解**

$$\begin{vmatrix} 3 & -1 & -1 & 0 \\ 1 & 2 & 3 & 4 \\ 1 & 2 & 0 & 5 \\ 1 & 0 & 1 & 2 \end{vmatrix} = -\begin{vmatrix} 1 & 0 & 1 & 2 \\ 1 & 2 & 3 & 4 \\ 1 & 2 & 0 & 5 \\ 3 & -1 & -1 & 0 \end{vmatrix} = -\begin{vmatrix} 1 & 0 & 1 & 2 \\ 0 & 2 & 2 & 2 \\ 0 & 2 & -1 & 3 \\ 0 & -1 & -4 & -6 \end{vmatrix} = 2\begin{vmatrix} 1 & 0 & 1 & 2 \\ 0 & 1 & 1 & 1 \\ 0 & 2 & -1 & 3 \\ 0 & 1 & 4 & 6 \end{vmatrix}$$

$$= 2\begin{vmatrix} 1 & 0 & 1 & 2 \\ 0 & 1 & 1 & 1 \\ 0 & 0 & -3 & 1 \\ 0 & 0 & 3 & 5 \end{vmatrix} = 2\begin{vmatrix} 1 & 0 & 1 & 2 \\ 0 & 1 & 1 & 1 \\ 0 & 0 & -3 & 1 \\ 0 & 0 & 0 & 6 \end{vmatrix} = -36$$

2. **解**　在 Π_1 上任取一点 $M_1(x_1,y_1,z_1)$，则 M_1 到 Π_2 的距离 d 就是所求 Π_1 与 Π_2 之间的距离. 由点到平面的距离公式得

$$d=\frac{|Ax_1+By_1+Cz_1+D_2|}{\sqrt{A^2+B^2+C^2}} . \qquad ①$$

又 $M_1 \in \pi_1$，故有 $\Pi_1 : Ax_1+By_1+Cz_1+D_1=0$，即

$$Ax + By + Cz = -D_1 . \quad ②$$

将②代入①，得

$$d = \frac{|D_2 - D_1|}{\sqrt{A^2 + B^2 + C^2}} .$$

3．**解**　令 $x^{10} = u$，则 $\mathrm{d}u = 10x^9\mathrm{d}x$，于是

$$\text{原式} = \frac{1}{10}\int \frac{\mathrm{d}u}{u(u+1)^2} = \frac{1}{10}\int \frac{u+1-u}{u(u+1)^2}\mathrm{d}u = \frac{1}{10}\int \left[\frac{1}{u(u+1)} - \frac{1}{(u+1)^2}\right]\mathrm{d}u$$

$$= \frac{1}{10}\int \left[\frac{1}{u} - \frac{1}{u+1} - \frac{1}{(u+1)^2}\right]\mathrm{d}u$$

$$= \frac{1}{10}\left(\ln|u| - \ln|u+1| + \frac{1}{u+1}\right) + C .$$

4．**解**（1）根据题意得 $\bar{X} \sim N(52, 6.3^2/36)$，所以

$$P\{50.8 < \bar{X} < 53.8\} = P\left\{\frac{50.8-52}{6.3/6} < \frac{\bar{X}-52}{6.3/6} < \frac{53.8-52}{6.3/6}\right\}$$

$$= \Phi\left(\frac{53.8-52}{6.3/6}\right) - \Phi\left(\frac{50.8-52}{6.3/6}\right)$$

$$= \Phi(1.7143) - \Phi(-1.143) \approx 0.956\,4 - (1 - 0.872\,9)$$

$$= 0.829\,3.$$

（2）因为 $\bar{X} \sim N(12, 4/5)$，所以

$$P\{|\bar{X} - 12| \leqslant 1\} = P\{11 \leqslant \bar{X} \leqslant 13\}$$

$$= P\left\{\frac{11-12}{\sqrt{0.8}} \leqslant \frac{\bar{X}-14}{\sqrt{0.4}} \leqslant \frac{13-12}{\sqrt{0.8}}\right\} .$$

$$= \Phi(1.118) - \Phi(-1.118) = 0.868\,6 - (1 - 0.868\,6)$$

$$= 0.737\,2,$$

故　$$P\left\{|\bar{X} - 12| > 1\right\} = 1 - P\left\{|\bar{X} - 12| \leqslant 1\right\} = 1 - 0.737\,2 = 0.262\,8 .$$

三、解答题（共 24 分，每题 12 分）

1. **证明** 由 $\boldsymbol{\alpha}$，$\boldsymbol{\beta}$，$\boldsymbol{\gamma}$ 线性无关，得到 $\boldsymbol{\alpha}$，$\boldsymbol{\beta}$ 线性无关，又 $\boldsymbol{\alpha}$，$\boldsymbol{\beta}$，$\boldsymbol{\delta}$ 线性相关，则 $\boldsymbol{\delta}$ 可以由 $\boldsymbol{\alpha}$，$\boldsymbol{\beta}$ 线性表示，所以 $\boldsymbol{\delta}$ 必可由 $\boldsymbol{\alpha}$，$\boldsymbol{\beta}$，$\boldsymbol{\gamma}$ 线性表示.

2. **证明** 令 $F(x)=\int_a^x f(t)\mathrm{d}t$，$G(x)=\int_a^x g(t)\mathrm{d}t$，于是

$$F(b)=\int_a^b f(x)\mathrm{d}x\,,\quad G(b)=\int_a^b g(x)\mathrm{d}x\,.$$

作辅助函数 $W(x)=F(b)\int_z^x g(t)\mathrm{d}t-G(b)\int_a^x f(t)\mathrm{d}t$，由题设条件，显然 $W(x)$ 在 $[a,b]$ 上连续，由变上限积分定理知 $W(x)$ 在 $[a,b]$ 上可导.

又 $$W(a)=0\,,\quad W(b)=F(b)G(b)-G(b)F(b)=0\,,$$

由罗尔定理，在 (a,b) 内至少存在一点 $\xi\in(a,b)$，使 $W'(\xi)=0$，即

$$F(b)g(\xi)-G(b)F(\xi)=0\,,\ \text{亦即}\ \frac{F(b)}{G(b)}=\frac{F(\xi)}{g(\xi)}\,,$$

故 $$\frac{\int_a^b f(x)\mathrm{d}x}{\int_a^b g(x)\mathrm{d}x}=\frac{f(\xi)}{g(\xi)}\,.$$

《数学学科知识》模拟训练五　参考答案

一、单项选择题（共 40 分，每题 5 分）

1	2	3	4	5	6	7	8
B	B	A	C	D	D	D	B

二、计算题（共 36 分，每题 9 分）

1. **解** $$\boldsymbol{E}-\boldsymbol{A}=\begin{pmatrix}1&0&0\\0&1&0\\0&0&1\end{pmatrix}-\begin{pmatrix}0&1&0\\-1&1&1\\-1&0&-1\end{pmatrix}=\begin{pmatrix}1&-1&0\\1&0&-1\\1&0&2\end{pmatrix},$$

$$(\boldsymbol{E}-\boldsymbol{A},\boldsymbol{B})=\begin{pmatrix}1&-1&0&1&-1\\1&0&-1&2&0\\1&0&2&5&3\end{pmatrix}\to\begin{pmatrix}1&-1&0&1&-1\\0&1&-1&1&1\\0&1&2&4&4\end{pmatrix}$$

$$\to\begin{pmatrix}1&-1&0&1&-1\\0&1&-1&1&1\\0&0&3&3&3\end{pmatrix}\to\begin{pmatrix}1&0&0&3&1\\0&1&0&2&2\\0&0&1&1&1\end{pmatrix},$$

所以

$$\boldsymbol{X}=\begin{pmatrix}3&1\\2&2\\1&1\end{pmatrix}.$$

2. **解** 已知平面 $x+y+z=0$ 的法向量为 $\vec{n}=\{1,1,1\}$，$\overrightarrow{M_1M_2}=\{-1,0,-2\}$. 据题意，所求平面的法向量为

$$\overrightarrow{M_1M_2}\times\vec{n}=\begin{vmatrix}\vec{i}&\vec{j}&\vec{k}\\-1&0&-2\\1&1&1\end{vmatrix}=2\vec{i}-\vec{j}-\vec{k}=\{2,-1,-1\},$$

所以，所求平面方程为

$$2\cdot(x-1)-1\cdot(y-1)-(z-1)=0\text{，即 }2x-y-z=0.$$

3. **解** 由 $f'(x)=g(x)$，$g'(x)=2\mathrm{e}^x-f(x)$ 得 $f''(x)=2\mathrm{e}^x-f(x)$, 于是

$$\begin{cases}f''(x)=2\mathrm{e}^x-f(x)\\f(0)=0,f'(0)=2\end{cases},$$

解方程得 $f(x)=\sin x-\cos x+\mathrm{e}^x$，故

$$\int_0^{\pi}\left[\frac{g(x)}{1+x}-\frac{f(x)}{(1+x)^2}\right]\mathrm{d}x=\int_0^{\pi}\left[\frac{g(x)(1+x)-f(x)}{(1+x)^2}\right]\mathrm{d}x$$

$$=\int_0^{\pi}\left[\frac{f'(x)(1+x)-f(x)}{(1+x)^2}\right]\mathrm{d}x$$

$$=\int_0^{\pi}\mathrm{d}\left(\frac{f(x)}{1+x}\right)=\frac{1+\mathrm{e}^{\pi}}{1+\pi}.$$

4. **解**（1）$P\{X<1\}=\int_0^1\frac{x}{100}\mathrm{e}^{-x^2/200}\mathrm{d}x=1-\mathrm{e}^{-1/200}\approx 0.004\,98$；

（2）$P\{X>52\}=\int_{52}^{+\infty}\frac{x}{100}\mathrm{e}^{-x^2/200}\mathrm{d}x=\mathrm{e}^{-2\,704/200}\approx 0.000\,001$；

（3）$P\{X>26|X>20\}=\dfrac{P\{X>26\}}{P\{X>20\}}=\dfrac{\int_{26}^{+\infty}\frac{x}{100}\mathrm{e}^{-x^2/200}\mathrm{d}x}{\int_{20}^{+\infty}\frac{x}{100}\mathrm{e}^{-x^2/200}\mathrm{d}x}=\mathrm{e}^{-276/200}\approx 0.251\,58$.

三、解答题（共 24 分，每题 12 分）

1. **证明** 取 $\boldsymbol{C}=\begin{pmatrix}0&0&1\\1&0&0\\0&1&0\end{pmatrix}$，则

$$\boldsymbol{C}'\begin{pmatrix}a&0&0\\0&b&0\\0&0&c\end{pmatrix}\boldsymbol{C}=\begin{pmatrix}0&1&0\\0&0&1\\1&0&0\end{pmatrix}\begin{pmatrix}a&0&0\\0&b&0\\0&0&c\end{pmatrix}\begin{pmatrix}0&0&1\\1&0&0\\0&1&0\end{pmatrix}$$
$$=\begin{pmatrix}0&b&0\\0&0&c\\a&0&0\end{pmatrix}\begin{pmatrix}0&0&1\\1&0&0\\0&1&0\end{pmatrix}=\begin{pmatrix}b&0&0\\0&c&0\\0&0&a\end{pmatrix}$$

所以$\begin{pmatrix}a&0&0\\0&b&0\\0&0&c\end{pmatrix}$与$\begin{pmatrix}b&0&0\\0&c&0\\0&0&a\end{pmatrix}$合同.

2. **证明** 由题设对 $\forall x\in[a,b]$，可知 $f(x)$ 在 $[a,b]$ 上满足拉格朗日微分中值定理，于是

$$f(x)=f(x)-f(a)=f'(\xi)(x-a),\ \xi\in(a,x).$$

又 $f'(x)\leqslant M$，因而 $f(x)\leqslant M(x-a)$. 由定积分比较定理有

$$\int_a^b f(x)\mathrm{d}x\leqslant\int_a^b M(x-a)\mathrm{d}x=\frac{M}{2}(b-a)^2.$$

《数学学科知识》模拟训练六 参考答案

一、单项选择题（共 40 分，每题 5 分）

1	2	3	4	5	6	7	8
C	B	C	A	D	D	D	B

二、计算题（共 36 分，每题 9 分）

1. **解**　当 $\lambda_1=-1$时，由 $(-\boldsymbol{E}-\boldsymbol{A})\boldsymbol{X}=\boldsymbol{O}$，得基础解系 $\boldsymbol{p}_1=(2,2,1)^{\mathrm{T}}$；
当 $\lambda_2=2$ 时，由 $(2\boldsymbol{E}-\boldsymbol{A})\boldsymbol{X}=\boldsymbol{O}$，得基础解系 $\boldsymbol{p}_2=(2,-1,-2)^{\mathrm{T}}$；
当 $\lambda_3=5$ 时，由 $(5\boldsymbol{E}-\boldsymbol{A})\boldsymbol{X}=\boldsymbol{O}$，得基础解系 $\boldsymbol{p}_3=(1,-2,2)^{\mathrm{T}}$.
不难验证 $\boldsymbol{p}_1,\boldsymbol{p}_2,\boldsymbol{p}_3$是正交向量组，把 $\boldsymbol{p}_1,\boldsymbol{p}_2,\boldsymbol{p}_3$ 单位化得

$$\boldsymbol{\eta}_1=\frac{\boldsymbol{p}_1}{\|\boldsymbol{p}_1\|}=(2/3,\quad 2/3,\quad 1/3)^{\mathrm{T}},$$

$$\boldsymbol{\eta}_2=\frac{\boldsymbol{p}_2}{\|\boldsymbol{p}_2\|}=(2/3,\quad -1/3,\quad -2/3)^{\mathrm{T}},$$

$$\boldsymbol{\eta}_3=\frac{\boldsymbol{p}_3}{\|\boldsymbol{p}_3\|}=(1/3,\quad -2/3,\quad 2/3)^{\mathrm{T}}.$$

取 $\boldsymbol{P}=(\boldsymbol{\eta}_1,\boldsymbol{\eta}_2,\boldsymbol{\eta}_3)$，有

$$\boldsymbol{P}^{-1}\boldsymbol{A}\boldsymbol{P}=\Lambda=diag(-1,2,5).$$

2. **解**　任取方程组的一组解 $\begin{cases}x=1\\y=1\\z=1\end{cases}$，则有 L 过点 $M_0(1,1,1)$. 可取直线的方向向量为

$$\overrightarrow{n_1}\times\overrightarrow{n_2}=\begin{vmatrix}\vec{i} & \vec{j} & \vec{k}\\1 & -1 & 1\\2 & 1 & 1\end{vmatrix}=-2\vec{i}+\vec{j}+3\vec{k}=\{-2,1,3\}.$$

所以，所求直线 L 的点向式方程为

$$\frac{x-1}{-2}=\frac{y-1}{1}=\frac{z-1}{3}.$$

进一步，L 的参数式方程为

$$\begin{cases}x=1-2t\\y=1+t\\z=1+3t\end{cases}.$$

3. **解** 因 $I=\int_0^1 dx\int_x^1 f(x)f(y)dy=\int_0^1 f(x)dx\int_x^1 f(y)dy$ 中 $\int_x^1 f(y)dy$ 不能直接计算出来，故必须考虑交换积分次序. 则有

$$I=\int_0^1 dy\int_0^y f(x)f(y)dx=\int_0^1 f(y)dy\int_x^y f(x)dx=\int_0^1 f(x)dx\int_0^x f(y)dy,$$

于是

$$2I=\int_0^1 f(x)dx\left(\int_0^x f(y)dy+\int_x^1 f(y)dy\right)=\int_0^1 f(x)dx\int_0^1 f(y)dy=A^2.$$

故
$$I=\int_0^1 dx\int_x^1 f(x)f(y)dy=\frac{1}{2}A^2.$$

4. **解** 方程 $t^2+2Xt+5X-4=0$ 有实根表明 $\Delta=4X^2-4(5X-4)\geqslant 0$，即 $X^2-5X+4\geqslant 0$，从而要求 $X\geqslant 4$ 或者 $X\leqslant 1$. 因为

$$P\{X\leqslant 1\}=\int_0^1 0.003x^2 dx=0.001,\quad P\{X\geqslant 4\}=\int_4^{10} 0.003x^2 dx=0.936,$$

所以方程有实根的概率为 0.001+0.936=0.937.

三、解答题（共 24 分，每题 12 分）

1. **解** 设 $\boldsymbol{\alpha}$ 的坐标为 (a_1,a_2,a_3)，那么

$$\begin{aligned}\boldsymbol{\alpha}&=(a_1,a_2,a_3)=(a_1+0,0+a_2,0+a_3)=(a_1,0,0)+(0,a_2,a_3)\\&=(a_1,0,0)+(0+0,a_2+0,0+a_3)=(a_1,0,0)+(0,a_2,0)+(0,0,a_3)\\&=a_1(1,0,0)+a_2(0,1,0)+a_3(0,0,1)=a_1\varepsilon_1+a_2\varepsilon_2+a_3\varepsilon_3.\end{aligned}$$

由于给定向量的坐标是唯一的，所以上面等式中的数 a_1,a_2,a_3 是唯一的.

2. **证明** 作辅助函数 $F(x)=\int_a^x f(t)dt\int_x^b g(t)dt$. 由于 $f(x)$，$g(x)$ 在 $[a,b]$ 上连续，所以 $F(x)$ 在 $[a,b]$ 上连续，在 (a,b) 内可导，并有 $F(a)=F(b)=0$. 由罗尔定理得 $F'(\xi)=0,\ \xi\in(a,b)$，即

$$\begin{aligned}\left[\int_a^x f(t)dt\int_x^b g(t)dt\right]'\Big|_{x=\xi}&=\left[f(x)\int_x^b g(t)dt-\int_a^x f(t)dt\cdot g(x)\right]\Big|_{x=\xi}\\&=f(\xi)\int_\xi^b g(x)dx-g(\xi)\int_a^\xi f(x)dx=0,\end{aligned}$$

亦即

$$f(\xi)\int_{\xi}^{b} g(x)\mathrm{d}x = g(\xi)\int_{a}^{\xi} f(x)\mathrm{d}x .$$

《数学学科知识》模拟训练七　参考答案

一、单项选择题（共 40 分，每题 5 分）

1	2	3	4	5	6	7	8
A	A	C	B	D	C	A	C

二、计算题（共 36 分，每题 9 分）

1. **解**

$$\overline{\boldsymbol{A}} = \begin{pmatrix} 1 & 2 & -1 & -2 & 0 \\ 2 & -1 & -1 & 1 & 1 \\ 3 & 1 & -2 & -1 & 1 \end{pmatrix} \to \begin{pmatrix} 1 & 2 & -1 & -2 & 0 \\ 0 & -5 & 1 & 5 & 1 \\ 0 & -5 & 1 & 5 & 1 \end{pmatrix}$$

$$\to \begin{pmatrix} 1 & 2 & -1 & -2 & 0 \\ 0 & -5 & 1 & 5 & 1 \\ 0 & 0 & 0 & 0 & 0 \end{pmatrix} \to \begin{pmatrix} 1 & -3 & 0 & 3 & 1 \\ 0 & -5 & 1 & 5 & 1 \\ 0 & 0 & 0 & 0 & 0 \end{pmatrix},$$

故

$$\begin{cases} x_1 = 1 - 3x_4 + 3x_2 \\ x_3 = 1 - 5x_4 + 5x_2 \end{cases}.$$

令 $x_2 = x_4 = 0$，得线性方程组的一个特解 $\boldsymbol{\gamma}_0 = (1,0,1,0)^{\mathrm{T}}$，其导出组的一般解为

$$\begin{cases} x_1 = 3x_4 + 3x_2 \\ x_3 = 5x_4 + 5x_2 \end{cases}.$$

令 $\begin{pmatrix} x_2 \\ x_4 \end{pmatrix}$ 分别为 $\begin{pmatrix} 1 \\ 0 \end{pmatrix}$，$\begin{pmatrix} 0 \\ 1 \end{pmatrix}$，得导出组的基础解系

$$\boldsymbol{\xi}_1=\begin{pmatrix}3\\1\\5\\0\end{pmatrix},\quad \boldsymbol{\xi}_2=\begin{pmatrix}-3\\0\\-5\\1\end{pmatrix}.$$

所以，方程组的全部解为

$$\boldsymbol{\gamma}_0+c_1\boldsymbol{\xi}_1+c_2\boldsymbol{\xi}_2\text{（}c_1\text{，}c_2\text{为任意实数）}.$$

2. **解** 过点 $(0,1,2)$ 且与直线 $\dfrac{x-1}{1}=\dfrac{y-1}{-1}=\dfrac{z}{2}$ 垂直的平面 π 为

$$\pi:1\cdot(x-0)-(y-1)+2(z-2)=0,$$

即

$$\pi:x-y+2z-3=0. \qquad ①$$

化直线 $\dfrac{x-1}{1}=\dfrac{y-1}{-1}=\dfrac{z}{2}$ 为参数式，得.

$$\begin{cases}x=1+t\\y=1-t.\\z=2t\end{cases} \qquad ②$$

将②代入①，有

$$(1+t)-(1-t)+2(2t)-3=0, \qquad ③$$

解得 $t=\dfrac{1}{2}$，故直线 $\dfrac{x-1}{1}=\dfrac{y-1}{-1}=\dfrac{z}{2}$ 与平面 π 的交点为 $M_1\left(\dfrac{3}{2},\dfrac{1}{2},1\right)$.

因此所求直线的方向为

$$\vec{s}=\overrightarrow{M_0M_1}=\left\{\frac{3}{2},-\frac{1}{2},-1\right\}\,/\!/\,\{-3,1,2\}.$$

故所求直线为

$$\frac{x-0}{-3}=\frac{y-1}{1}=\frac{z-2}{2}.$$

3. **解** 原式$=\displaystyle\int\left(x+\frac{1}{x}\right)^2\mathrm{d}x=\int\left(x^2+2+\frac{1}{x^2}\right)\mathrm{d}x=\frac{x^3}{3}+2x-\frac{1}{x}+C$.

4. **解** 因为 $P(\overline{B}\cup\overline{C})=P(\overline{BC})=1-P(BC)$，则

$$P(BC)=1-P(\overline{B}\cup\overline{C})=1-0.8=0.2.$$

由 $A\supset B, A\supset C$ 知 $A\supset BC$，于是

$$P(A-BC)=P(A)-P(BC)=0.9-0.2=0.7\ .$$

三、解答题（共 24 分，每题 12 分）

1．**解** 二次型矩阵为 $\boldsymbol{A}=\begin{pmatrix}1 & -2 & 2\\ -2 & -2 & 4\\ 2 & 4 & -2\end{pmatrix}$，则

$$|\lambda\boldsymbol{E}-\boldsymbol{A}|=\begin{vmatrix}\lambda-1 & 2 & -2\\ 2 & \lambda+2 & -4\\ -2 & -4 & \lambda+2\end{vmatrix}=\begin{vmatrix}\lambda-1 & 2 & -2\\ 0 & \lambda-2 & \lambda-2\\ -2 & -4 & \lambda+2\end{vmatrix}=(\lambda-2)\begin{vmatrix}\lambda-1 & 2 & -4\\ 0 & 1 & 0\\ -2 & -4 & \lambda+6\end{vmatrix}$$

$$=(\lambda-2)\begin{vmatrix}\lambda-1 & -4\\ -2 & \lambda+6\end{vmatrix}=(\lambda-2)(\lambda^2+5\lambda-14)=(\lambda-2)^2(\lambda+7).$$

当 $\lambda=2$ 时，

$$(\lambda\boldsymbol{E}-\boldsymbol{A})=\begin{pmatrix}1 & 2 & -2\\ 2 & 4 & -4\\ -2 & -4 & 4\end{pmatrix}\to\begin{pmatrix}1 & 2 & -2\\ 0 & 0 & 0\\ 0 & 0 & 0\end{pmatrix},$$

得特征向量为 $\boldsymbol{\eta}_1=(2,-1,0),\ \boldsymbol{\eta}_2=(2,0,1)$，正交单位化得

$$\boldsymbol{\gamma}_1=\frac{1}{3\sqrt{5}}(6,-3,0)\ ,\quad \boldsymbol{\gamma}_2=\frac{1}{3\sqrt{5}}(2,4,5)\ .$$

当 $\lambda=-7$ 时，

$$(\lambda\boldsymbol{E}-\boldsymbol{A})=\begin{pmatrix}-8 & 2 & -2\\ 2 & -5 & -4\\ -2 & -4 & -5\end{pmatrix}\to\begin{pmatrix}-4 & 1 & -1\\ 4 & -10 & -8\\ 4 & 8 & 10\end{pmatrix}\to\begin{pmatrix}2 & 0 & 1\\ 0 & 1 & 1\\ 0 & 0 & 0\end{pmatrix},$$

得单位特征向量为 $\frac{1}{3\sqrt{5}}(\sqrt{5},2\sqrt{5},-2\sqrt{5})$，所以正交矩阵为

$$\boldsymbol{T}=\frac{1}{3\sqrt{5}}\begin{pmatrix}6 & 2 & \sqrt{5}\\ -3 & 4 & 2\sqrt{5}\\ 0 & 5 & -2\sqrt{5}\end{pmatrix},$$

通过正交变换 $\boldsymbol{X}=\boldsymbol{TY}$，得二次型的标准形

$$2y_1^2+2y_2^2-7y_3^2.$$

2. **证明**

$$\int_T^{a+T} f(x)\mathrm{d}x \xlongequal{令x=u+T} \int_0^a f(u+T)\mathrm{d}u=\int_0^a f(x+T)\mathrm{d}x \xlongequal[f(x+T)=f(x)]{\because f(x)以T为周期} \int_0^a f(x)\mathrm{d}x,$$

得

$$\int_0^a f(x)\mathrm{d}x+\int_T^{a+T} f(x)\mathrm{d}x=0.$$

在等式两端各加 $\int_0^T f(x)\mathrm{d}x$，于是

$$\int_T^{a+T} f(x)\mathrm{d}x=\int_0^T f(x)\mathrm{d}x.$$

若 $f(x)$ 是连续函数，则

$$\int_0^x\left(\int_0^u f(t)\mathrm{d}t\right)\mathrm{d}u=\int_0^x (x-u)f(u)\mathrm{d}u,$$

故

$$\begin{aligned}\int_0^x\left(\int_0^u f(t)\mathrm{d}t\right)\mathrm{d}u&=u\int_0^u f(x)\mathrm{d}t\Big|_0^x-\int_0^x uf(u)\mathrm{d}u\\&=x\int_0^x f(x)\mathrm{d}t-\int_0^x uf(u)\mathrm{d}u\\&=\int_0^x (x-u)f(u)\mathrm{d}u.\end{aligned}$$

《数学学科知识》模拟训练八　参考答案

一、单项选择题（共 40 分，每题 5 分）

1	2	3	4	5	6	7	8
C	C	D	B	B	C	D	A

二、计算题（共 36 分，每题 9 分）

1. **解**　由题意知 $\boldsymbol{A}$ 的特征值为 1，1，0，且 $\left(\frac{\sqrt{2}}{2},0,\frac{\sqrt{2}}{2}\right)^{\mathrm{T}}$ 为特征值 0

的特征向量，所以特征值 1 的特征向量若为 $(x_1,x_2,x_3)^{\mathrm{T}}$ ，有

$$\frac{\sqrt{2}}{2}x_1+\frac{\sqrt{2}}{2}x_3=0,$$

解方程得 $\boldsymbol{Q}$ 的前 2 列为 $(0,1,0)^{\mathrm{T}}$ ， $\left(-\frac{\sqrt{2}}{2},0,\frac{\sqrt{2}}{2}\right)^{\mathrm{T}}$ ，则

$$\boldsymbol{Q}=\begin{pmatrix}-\frac{1}{\sqrt{2}} & 0 & \frac{1}{\sqrt{2}}\\ 0 & 1 & 0\\ \frac{1}{\sqrt{2}} & 0 & \frac{1}{\sqrt{2}}\end{pmatrix},$$

故
$$\boldsymbol{A}=\boldsymbol{Q}\begin{pmatrix}1&0&0\\0&1&0\\0&0&0\end{pmatrix}\boldsymbol{Q}^{\mathrm{T}}=\begin{pmatrix}\frac{1}{\sqrt{2}} & 0 & -\frac{1}{\sqrt{2}}\\ 0 & 1 & 0\\ -\frac{1}{\sqrt{2}} & 0 & \frac{1}{\sqrt{2}}\end{pmatrix}.$$

2. **解**　根据题意，可取所求直线的方向向量 $\vec{s}=\{2,1,5\}$. 故所求直线为

$$\frac{x-4}{2}=\frac{y+1}{1}=\frac{z-3}{5}.$$

3. **解**　因为 $f(x,y,z)=x+y+z$ ，且积分域关于 x 轴，y 轴和 z 轴对称，故

$$\iiint\limits_{\Omega}x\mathrm{d}x\mathrm{d}y\mathrm{d}z=\iiint\limits_{\Omega}y\mathrm{d}x\mathrm{d}y\mathrm{d}z=\iiint\limits_{\Omega}z\mathrm{d}x\mathrm{d}y\mathrm{d}z,$$

于是

$$I=3\iiint\limits_{\Omega}x\mathrm{d}x\mathrm{d}y\mathrm{d}z=3\int_0^1 x\mathrm{d}x\int_0^{1-x}\mathrm{d}y\int_0^{1-x-y}\mathrm{d}z=\frac{1}{8}.$$

4. **解**　根据题意得 $E(\bar{X})=25\ (\mathrm{kg})$ ， $D(\bar{X})=\frac{1}{100}$ ，则由独立同分布的中心极限定理得

$$P\{24.75\leqslant\bar{X}\leqslant25.25\}=P\left\{\frac{24.75-25}{0.1}\leqslant\frac{\bar{X}-25}{0.1}\leqslant\frac{25.25-25}{0.1}\right\}$$
$$\approx\Phi(2.5)-\Phi(-2.5)=2\Phi(2.5)-1=0.987\,6.$$

三、解答题（共 24 分，每题 12 分）

1. **解**　（1）是. 因为 $\forall \boldsymbol{\alpha}=(x_1,y_1)'$，$\boldsymbol{\beta}=(x_2,y_2)'$，$\forall k\in F$，有

$$f(\boldsymbol{\alpha}+\boldsymbol{\beta})=f\begin{pmatrix}x_1+x_2\\y_1+y_2\end{pmatrix}=\begin{pmatrix}x_1+x_2+y_1+y_2\\y_1+y_2\end{pmatrix}$$

$$=\begin{pmatrix}x_1+y_1\\y_1\end{pmatrix}+\begin{pmatrix}x_2+y_2\\y_2\end{pmatrix}=f(\boldsymbol{\alpha})+f(\boldsymbol{\beta}),$$

$$f(k\boldsymbol{\alpha})=f\begin{pmatrix}kx_1\\ky_1\end{pmatrix}=\begin{pmatrix}kx_1+ky_1\\ky_1\end{pmatrix}=k\begin{pmatrix}x_1+y_1\\y_1\end{pmatrix}=kf(\boldsymbol{\alpha}).$$

（2）是. 因为 $\forall \boldsymbol{a}=(x_1,y_1)'$，$\boldsymbol{\beta}=(x_2,y_2)'$，$\forall k\in F$，有

$$f(\boldsymbol{\alpha}+\boldsymbol{\beta})=f\begin{pmatrix}x_1+x_2\\y_1+y_2\end{pmatrix}=\begin{pmatrix}x_1+x_2-(y_1+y_2)\\y_1+y_2\end{pmatrix}$$

$$=\begin{pmatrix}x_1-y_1\\y_1\end{pmatrix}+\begin{pmatrix}x_2-y_2\\y_2\end{pmatrix}=f(\boldsymbol{\alpha})+f(\boldsymbol{\beta}),$$

$$f(k\boldsymbol{\alpha})=f\begin{pmatrix}kx_1\\ky_1\end{pmatrix}=\begin{pmatrix}kx_1-ky_1\\ky_1\end{pmatrix}=k\begin{pmatrix}x_1-y_1\\y_1\end{pmatrix}=kf(\boldsymbol{\alpha}).$$

（3）不是. 因为

$$f(\boldsymbol{\alpha}+\boldsymbol{\beta})=f\begin{pmatrix}x_1+x_2\\y_1+y_2\end{pmatrix}=\begin{pmatrix}2+y_1+y_2\\x_1+x_2+y_1+y_2\end{pmatrix},$$

而
$$f(\boldsymbol{\alpha})+f(\boldsymbol{\beta})=\begin{pmatrix}2+y_1\\x_1+y_1\end{pmatrix}=\begin{pmatrix}2+y_2\\x_2+y_2\end{pmatrix}=\begin{pmatrix}4+y_1+y_2\\x_1+x_2+y_1+y_2\end{pmatrix},$$

所以

$$f(\boldsymbol{\alpha}+\boldsymbol{\beta})\neq f(\boldsymbol{\alpha})+f(\boldsymbol{\beta}).$$

（4）不是. 因为 $f(k\boldsymbol{\alpha})=k\boldsymbol{\alpha}+\boldsymbol{\alpha}_0$，而

$$kf(\boldsymbol{\alpha})=k(\boldsymbol{\alpha}+\boldsymbol{\alpha}_0)=k\boldsymbol{\alpha}+k\boldsymbol{\alpha}_0\neq k\boldsymbol{\alpha}+\boldsymbol{\alpha}_0,$$

所以

$$f(k\boldsymbol{\alpha})\neq kf(\boldsymbol{\alpha}).$$

（5）不是. 因为

$$f(\boldsymbol{\alpha}+\boldsymbol{\beta})=\boldsymbol{\alpha}_0,$$

而
$$f(\boldsymbol{\alpha})+f(\boldsymbol{\beta})=\boldsymbol{\alpha}_0+\boldsymbol{\alpha}_0=2\boldsymbol{\alpha}_0\neq\boldsymbol{\alpha}_0.$$

2. **证明** 依题意得

$$\int_0^1 \ln f(x+t)\mathrm{d}t \xlongequal{令x+t=u} \int_x^{x+1} \ln f(u)\mathrm{d}u$$

$$= \int_x^0 \ln f(u)\mathrm{d}u + \int_0^1 \ln f(u)\mathrm{d}u + \int_1^{x+1} \ln f(u)\mathrm{d}u ,$$

又

$$\int_1^{x+1} \ln f(u)\mathrm{d}u \xlongequal{u=t+1} \int_x^x \ln f(t+1)\mathrm{d}t ,$$

所以

$$\int_0^1 \ln f(x+t)\mathrm{d}t = \int_0^x \ln \frac{f(1+t)}{f(t)}\mathrm{d}t + \int_0^1 \ln f(t)\mathrm{d}t .$$

《数学学科知识》模拟训练九 参考答案

一、单项选择题（共 40 分，每题 5 分）

1	2	3	4	5	6	7	8
C	D	D	A	B	D	A	A

二、计算题（共 36 分，每题 9 分）

1. **解**

$$(\boldsymbol{\alpha}_1\,\boldsymbol{\alpha}_2\,\boldsymbol{\alpha}_3\,\boldsymbol{\alpha}_4) = \begin{pmatrix} 1 & 1 & 1 & 1 \\ 1 & -1 & 3 & -1 \\ 1 & 1 & 1 & -1 \\ 1 & -1 & 3 & 1 \end{pmatrix} \to \begin{pmatrix} 1 & 1 & 1 & 1 \\ 0 & -2 & 2 & -2 \\ 0 & 0 & 0 & -2 \\ 0 & -2 & 2 & 0 \end{pmatrix} \to \begin{pmatrix} 1 & 1 & 1 & 1 \\ 0 & 1 & -1 & 1 \\ 0 & 1 & -1 & 0 \\ 0 & 0 & 0 & 1 \end{pmatrix}$$

$$\to \begin{pmatrix} 1 & 1 & 1 & 1 \\ 0 & 1 & -1 & 1 \\ 0 & 0 & 0 & -1 \\ 0 & 0 & 0 & 1 \end{pmatrix} \to \begin{pmatrix} 1 & 1 & 1 & 1 \\ 0 & 1 & -1 & 1 \\ 0 & 0 & 0 & 1 \\ 0 & 0 & 0 & 0 \end{pmatrix}$$

$$\to \begin{pmatrix} 1 & 1 & 1 & 0 \\ 0 & 1 & -1 & 0 \\ 0 & 0 & 0 & 1 \\ 0 & 0 & 0 & 0 \end{pmatrix} \to \begin{pmatrix} 1 & 0 & 2 & 0 \\ 0 & 1 & -1 & 0 \\ 0 & 0 & 0 & 1 \\ 0 & 0 & 0 & 0 \end{pmatrix}$$

所以 $r(\boldsymbol{\alpha}_1\,\boldsymbol{\alpha}_2\,\boldsymbol{\alpha}_3\,\boldsymbol{\alpha}_4)=3$，$\boldsymbol{\alpha}_1,\boldsymbol{\alpha}_2,\boldsymbol{\alpha}_4$ 是一个极大无关组，且 $\boldsymbol{\alpha}_3=2\boldsymbol{\alpha}_1-\boldsymbol{\alpha}_2$.

2. **解** $\dfrac{\mathrm{d}u}{\mathrm{d}x}=\dfrac{\partial f}{\partial x}+\dfrac{\partial f}{\partial y}\dfrac{\mathrm{d}y}{\mathrm{d}x}+\dfrac{\partial u}{\partial x}\dfrac{\mathrm{d}z}{\mathrm{d}x}$，$\dfrac{\mathrm{d}y}{\mathrm{d}x}=\cos x$.

$\varphi(x^2,\mathrm{e}^y,z)=0$ 的两边对 x 求偏导数，得

$$\varphi_1'\cdot 2x+\varphi_2'\cdot\mathrm{e}^y\cdot\cos x+\varphi_3'\cdot\frac{\mathrm{d}z}{\mathrm{d}x}=0\Rightarrow\frac{\mathrm{d}z}{\mathrm{d}x}=-\frac{2x\varphi_1'+\mathrm{e}^y\cos x\varphi_2'}{\varphi_3'},$$

故

$$\frac{\mathrm{d}u}{\mathrm{d}x}=\frac{\partial f}{\partial x}+\cos x\cdot\frac{\partial f}{\partial y}-\frac{2x\varphi_1'+\mathrm{e}^y\cos x\varphi_2'}{\varphi_3'}\cdot\frac{\partial f}{\partial z}.$$

3. **解** 根据题意，可设所求平面的一般式方程为

$$\pi: Ax+By+Cz+D=0 \qquad ①$$

其法向量为 $\vec{n}=\{A,B,C\}$.

因为 π 在 y 轴，z 轴上的截距分别为 30，10，故 π 过点 $(0,30,0)$ 及 $(0,0,10,)$. 将此两点坐标代入①，得

$$30B+D=0, \qquad ②$$

$$10C+D=0. \qquad ③$$

又已知 π 与 $\vec{r}=\{2,1,3\}$ 平行，故 $\vec{n}$ 垂直于向量 $\vec{r}$，于是有

$$2A+B+3C=0. \qquad ④$$

联立②③④，得

$$D=-30B,\ C=3B,\ A=-5B,$$

因此①成为

$$\pi:-5Bx+By+3Bz-30B=0. \qquad ⑤$$

注意到 $B\neq 0$（否则 π 的法向量为零向量），所以⑤两边除以 B，得

$$\pi:-5x+y+3z-30=0.$$

4. **解** 设“一名被检验者经检验认为患有关节炎”记为事件 A，“一

名被检验者确实患有关节炎”记为事件 B. 根据全概率公式有

$$P(A)=P(B)P(A\mid B)+P(\overline{B})P(A\mid \overline{B})=10\%\times 85\%+90\%\times 4\%=12.1\%,$$

所以，根据条件概率得到所要求的概率为

$$P(B\mid \overline{A})=\frac{P(B\overline{A})}{P(\overline{A})}=\frac{P(B)P(\overline{A}\mid B)}{1-P(A)}=\frac{10\%(1-85\%)}{1-12.1\%}=17.06\%.$$

即一名被检验者经检验认为没有关节炎而实际确实有关节炎的概率为 17.06%.

三、解答题（共 24 分，每题 12 分）

1. **证明** 由 $\boldsymbol{\alpha}_1,\boldsymbol{\alpha}_2,\cdots,\boldsymbol{\alpha}_s$ 线性相关，根据定义，存在不全为 0 的 $k_1,k_2,\cdots,k_s$，使得 $k_1\boldsymbol{\alpha}_1+k_2\boldsymbol{\alpha}_2+\cdots+k_s\boldsymbol{\alpha}_s=0$，用矩阵 $\boldsymbol{A}$ 左乘等式两边得到

$$\boldsymbol{A}k_1\boldsymbol{\alpha}_1+\boldsymbol{A}k_2\boldsymbol{\alpha}_2+\cdots+\boldsymbol{A}k_s\boldsymbol{\alpha}_s=k_1\boldsymbol{A}\boldsymbol{\alpha}_1+k_2\boldsymbol{A}\boldsymbol{\alpha}_2+\cdots+k_s\boldsymbol{A}\boldsymbol{\alpha}_s=\boldsymbol{0}\ (k_i \text{不全为} 0),$$

根据线性相关的定义得到向量组 $k_1\boldsymbol{\alpha}_1,k_2\boldsymbol{\alpha}_2,\cdots,k_s\boldsymbol{\alpha}_s$ 线性相关.

2. **证明**

$$\begin{aligned}f(x)&=\int_{-a}^{x}(x-t)\varphi(t)\mathrm{d}t+\int_{x}^{a}(t-x)\varphi(t)\mathrm{d}t\\&=x\int_{-a}^{x}\varphi(t)\mathrm{d}t-\int_{-a}^{x}t\varphi(t)\mathrm{d}t+\int_{-a}^{x}t\varphi(t)\mathrm{d}t-x\int_{x}^{a}\varphi(t)\mathrm{d}t,\end{aligned}$$

$$f'(x)=\int_{-a}^{x}\varphi(t)\mathrm{d}t-\int_{x}^{a}\varphi(t)\mathrm{d}t=\int_{-a}^{x}\varphi(t)\mathrm{d}t+\int_{a}^{x}\varphi(t)\mathrm{d}t,$$

即

$$f''(x)=\varphi(x)+\varphi(x)=2\varphi(x)>0.$$

故曲线 $y=f(x)$ 在 $[-a,a]$ 上是凹的.

《数学学科知识》模拟训练十　参考答案

一、单项选择题（共 40 分，每题 5 分）

1	2	3	4	5	6	7	8
C	B	D	B	A	C	B	D

二、计算题（共 36 分，每题 9 分）

1．**解**　（1）$-4,2,-10$；（2）$\begin{pmatrix} -4 & & \\ & 2 & \\ & & -10 \end{pmatrix}$；（3）8.

2．**解**　原式$=\frac{1}{2}(x^3+2x+5)\sin 2x-\frac{1}{2}\int(3x^2+2)\sin 2x\mathrm{d}x$

$$=\frac{1}{2}(x^3+2x+5)\sin 2x+\frac{1}{4}(3x^3+2)\cos 2x-\frac{3}{2}\int x\cos 2x\mathrm{d}x$$

$$=\frac{1}{2}(x^3+2x+5)\sin 2x+\frac{1}{4}(3x^3+2)\cos 2x-\frac{3}{4}x\sin 2x-\frac{3}{8}\cos 2x+C.$$

3．**解**　可取直线的方向向量为$\vec{s}=\overrightarrow{P_1P_2}=\{-4,2,1\}$．故所求直线为

$$\frac{x-3}{-4}=\frac{y+2}{2}=\frac{z-1}{1}.$$

4．**解**　（1）根据$1=\int_{-\infty}^{+\infty}f(x)\mathrm{d}x=\int_0^1 kx^2\mathrm{d}x=\frac{k}{3}$，得到$k=3$；

（2）$P\left\{X\leqslant\frac{1}{3}\right\}=\int_0^{1/3}3x^2\mathrm{d}x=\left(\frac{1}{3}\right)^3=\frac{1}{27}$；

（3）$P\left\{\frac{1}{4}\leqslant X\leqslant\frac{1}{2}\right\}=\int_{1/4}^{1/2}3x^2\mathrm{d}x=\left(\frac{1}{2}\right)^3-\left(\frac{1}{4}\right)^3=\frac{7}{64}$；

（4）$P\left\{X>\frac{2}{3}\right\}=\int_{2/3}^{1}3x^2\mathrm{d}x=1-\left(\frac{2}{3}\right)^3=\frac{19}{27}$.

三、解答题（共 24 分，每题 12 分）

1．**证明**　$\forall\boldsymbol{\alpha}=(x_1,y_1,z_1)',\boldsymbol{\beta}=(x_2,y_2,z_2)',\forall k\in F$，有

$$f(\boldsymbol{\alpha}+\boldsymbol{\beta})=f(x_1+x_2,y_1+y_2,z_1+z_2)$$

$$=((x_1+x_2)+2(y_1+y_2)-(z_1+z_2),(y_1+y_2)+(z_1+z_2),$$
$$(x_1+x_2)+(y_1+y_2)-2(z_1+z_2))$$

$$=((x_1+2y_1-z_1)+(x_2+2y_2-z_2),(y_1+z_1)+(y_2+z_2),$$
$$(x_1+y_1-2z_1)+(x_2+y_2-2z_2))$$

$$=(x_1+2y_1-z_1,y_1+z_1,x_1+y_1-2z_1)+$$

$$(x_2+2y_2-z_2,y_2+z_2,x_2+y_2-2z_2)$$

$$=f(\boldsymbol{\alpha})+f(\boldsymbol{\beta}),$$

$$f(k\boldsymbol{\alpha})=(kx_1+2ky_1-kz_1,ky_1+kz_1,kx_1+ky_1-2kz_1)$$

$$=k(x_1+2y_1-z_1,y_1+z_1,x_1+y_1-2z_1)=kf(\boldsymbol{\alpha}),$$

所以 f 是 V 的一个线性变换.

2. **证明** $F(x)=\int_0^x t^{n-1}f(x^n-t^n)\mathrm{d}t \xlongequal{令u=x^n-t^n} \frac{1}{n}\int_0^{x^n} f(u)\mathrm{d}u$,

于是

$$F'(x)=x^{n-1}f(x^n),$$

故 $$\lim_{x\to0}\frac{F(x)}{x^{2n}}=\lim_{x\to0}\frac{F'(x)}{2nx^{2n-1}}=\frac{1}{2n}\lim_{x\to0}\frac{f(x^n)}{x^n}=\frac{1}{2n}\lim_{x\to0}\frac{f(x^n)-f(0)}{x^n-0}=\frac{1}{2n}f'(0).$$

参考文献

[1] 华东师范大学数学系. 数学分析上册[M]. 4 版. 北京:高等教育出版社, 2016.

[2] 华东师范大学数学系. 数学分析下册[M]. 4 版. 北京:高等教育出版社, 2016.

[3] 郇中丹, 刘永平, 王昆扬. 简明数学分析[M]. 2 版. 北京: 高等教育出版社, 2009.

[4] 中公教育教师资格考试研究院. 中公版·2019 国家教师资格考试专用教材: 数学学科知识与教学能力历年真题及标准预测试卷(初级中学)[M]. 北京: 世界图书出版公司, 2019.

[5] 中公教育教师资格考试研究院. 中公版·2019 国家教师资格考试专用教材: 数学学科知识与教学能力历年真题及标准预测试卷(高级中学)[M]. 北京: 世界图书出版公司, 2019.

[6] 中公教育教师资格考试研究院. 中公版·2016 国家教师资格考试专用教材: 数学学科知识与教学能力历年真题及标准预测试卷(初级中学)[M]. 北京: 世界图书出版公司, 2016.

[7] 中公教育教师资格考试研究院. 中公版·2016 国家教师资格考试专用教材: 数学学科知识与教学能力历年真题及标准预测试卷(高级中学)[M]. 北京: 世界图书出版公司, 2016.

[8] 中公教育教师资格考试研究院. 国家教师资格考试专用教材·数学学科知识与教学能力(高级中学)[M]. 北京: 世界图书出版公司, 2019.

[9] 程晓亮, 刘影. 中学数学教师资格考试训练教程[M]. 北京: 北京大学出版社, 2016.

[10] 北京大学数学系. 高等代数[M]. 3 版. 北京: 高等教育出版社, 2008.

[11] 唐亚楠. 高等代数同步辅导及习题全解[M]. 3 版. 北京：中国矿业大学出版社，2006.
[12] 张禾瑞，郝钢新. 高等代数[M]. 5 版. 北京：高等教育出版社，2007.
[13] 陈光大. 高等代数[M]. 4 版. 武汉：华中科技大学出版社，2006.
[14] 吕林根，许子道. 解析几何[M]. 4 版. 北京：高等教育出版社，2016.
[15] 高红铸，王敬庚，傅若男. 空间解析几何[M]. 3 版. 北京：北京师范大学出版社，2007.
[16] 盛骤，谢式千，潘承毅. 概率论与数理统计[M]. 4 版. 北京：高等教育出版社，2008.
[17] 魏宗舒. 概率论与数理统计教程[M]. 2 版. 北京：高等教育出版社，2008.